DIÁRIOS do VAMPIRO

L.J. SMITH

DIÁRIOSdo VAMPIRO

O Confronto

Tradução
Ryta Vinagre

galera
RECORD

RIO DE JANEIRO I 2009

CIP-BRASIL. CATALOGAÇÃO-NA-FONTE
SINDICATO NACIONAL DOS EDITORES DE LIVROS, RJ

Smith, L. J. (Lisa J.)
S649c   O confronto / L. J. Smith; tradução Ryta Vinagre. – Rio de
Janeiro: Galera Record, 2009.
-(Diários do vampiro; 2)

Tradução de: The struggle
ISBN 978-85-01-08616-7

1. Ficção americana. I. Vinagre, Ryta. II. Título. III. Série.

09-5412.   CDD: 813
CDU: 821.111(73)-3

Composição de miolo: Abreu's System

Texto revisado pelo novo Acordo Ortográfico da Língua Portuguesa.

Direitos exclusivos de publicação em língua portuguesa somente para o Brasil
adquiridos pela
EDITORA RECORD LTDA.
Rua Argentina 171 – Rio de Janeiro, RJ – 20921-380 – Tel.: 2585-2000
que se reserva a propriedade literária desta tradução

Impresso no Brasil

ISBN 978-85-01-08616-7

PEDIDOS PELO REEMBOLSO POSTAL
Caixa Postal 23.052 – Rio de Janeiro, RJ – 20922-970

1

amon!

O vento gelado vergastava o cabelo no rosto de Elena, investindo contra seu leve suéter. Folhas de carvalho giravam entre as filas de lápides de granito e as árvores chacoalhavam os galhos num frenesi. As mãos de Elena estavam geladas, os lábios e bochechas completamente entorpecidos, mas ela continuou ali de pé, gritando, berrando ao vento.

— *Damon!*

Este clima era uma mostra do seu Poder, e a intenção era afugentá-la. Não deu certo. A ideia de que o mesmo Poder se voltaria contra Stefan despertou uma fúria quente dentro de Elena, queimando contra o vento. Se Damon fizesse algo contra Stefan, se Damon o ferisse...

— Mas que droga, responda! — gritou ela para os carvalhos que margeavam o cemitério.

Uma folha morta de carvalho, feito uma garra castanho-esbranquiçada, deslizou até seus pés, mas não houve resposta. No alto, o céu era cinza como vidro, cinza como as lápides que a cercavam. Elena sentiu a raiva e a frustração acomodando-se em sua garganta e cedeu. Ela se enganara. Damon não estava ali, afinal; ela estava sozinha com o vento uivante.

Elena se virou — e engasgou.

Ele estava bem atrás dela, tão perto que as roupas de Elena roçaram nele quando ela se virou. A essa distância, ela devia ter sentido outro ser humano parado ali, sentido o calor do corpo dele ou tê-lo ouvido. Mas Damon, evidentemente, não era humano.

Ela recuou alguns passos antes de conseguir parar. Cada instinto que permanecera quieto enquanto ela gritava para a fúria do vento agora latejava em seu corpo.

Elena cerrou os punhos.

— Onde está Stefan?

Uma ruga apareceu entre as sobrancelhas escuras de Damon.

— Que Stefan?

Elena avançou um passo e deu um tapa nele.

Fez isso sem pensar e depois mal conseguiu acreditar no que fizera. Mas foi um belo tabefe, no qual ela empregou toda a sua força, e atingiu uma das faces de Damon. Sua mão ardeu. Ela se manteve firme, tentando acalmar a respiração, e o observou.

Ele estava vestido como na primeira vez em que Elena o vira, de preto. Botas pretas e macias, jeans, suéter e jaqueta de couro, tudo preto. Ele era parecido com Stefan. Ela ficou surpresa de não ter percebido isso antes. Tinha o mesmo cabelo escuro, a mesma pele clara, a mesma beleza perturbadora. Mas o cabelo de Damon era liso, não ondulado, os olhos eram negros como a meia-noite e o sorriso era cruel.

Ele virou a cabeça lentamente para olhá-la e Elena viu o sangue subindo na face que havia estapeado.

— Não minta para mim — disse ela, a voz trêmula. — Eu sei quem você é. Sei *o que* você é. Você matou o Sr. Tanner ontem à noite. E agora Stefan desapareceu.

— Desapareceu, é?

— Você sabe que sim!

Damon sorriu e virou o rosto imediatamente.

— Estou avisando; se você o machucou...

— O quê, então? — perguntou. — O que vai fazer, Elena? O que *você* pode fazer contra *mim*?

Elena se calou. Pela primeira vez, percebeu que o vento havia cessado. O dia tornara-se silencioso em volta deles, como se estivessem imóveis, no meio de algum grande círculo de poder. Parecia que tudo, o céu de chumbo, os carvalhos e as faias roxas, o próprio chão, estavam conectados a ele, como se ele extraísse Poder de tudo isso. Ele ficou parado com a cabeça um pouco inclinada para trás, os olhos insondáveis e cheios de luzes estranhas.

— Não sei — sussurrou ela —, mas vou dar um jeito. Pode acreditar.

De repente ele riu e o coração de Elena sofreu um solavanco, dando início a uma série de fortes marteladas. Meu Deus, ele era lindo. Bonito era um adjetivo fraco e pálido demais. Como sempre, o riso durou apenas um instante, mas deixou vestígios em seus olhos mesmo quando os lábios voltaram a ficar sóbrios.

— Acredito plenamente em você — disse ele, relaxando, observando o cemitério. Depois se virou e estendeu a mão para ela. — Você é boa demais para o meu irmão — disse ele despreocupadamente.

Elena pensou em bater na mão para afastá-la, mas não queria tocar nele de novo.

— Diga onde ele está.

— Talvez mais tarde... Mas há um preço. — Ele retirou a mão, justo quando Elena percebia que nela havia um anel igual ao de prata e lápis-lazúli de Stefan. Lembre-se disso, pensou ela com veemência. É importante.

— Meu irmão — prosseguiu Damon — é um tolo. Para ele, como você é parecida com Katherine, deve ser fraca e se deixar levar facilmente, assim como ela. Mas ele está enganado. Posso sentir sua raiva do outro lado da cidade. Posso senti-la agora, uma luz intensa como o sol do deserto. Você tem força, Elena, mesmo sendo como é. Mas pode ser muito mais forte...

Ela o fitou, sem compreender, sem gostar da mudança de assunto.

— Não sei do que está falando. E o que isso tem a ver com Stefan?

— Estou falando de Poder, Elena. — De repente, ele se aproximou de Elena, os olhos fixos nos dela, a voz suave e urgente. — Você tentou de tudo e nada a satisfez. É uma garota que tem tudo, mas sempre existe algo fora de seu alcance, algo de que precisa desesperadamente e não tem. É justamente o que estou oferecendo a você. Poder. Vida eterna. E sensações que nunca teve na vida.

Ela então *entendeu* e a bile subiu por sua garganta. Ficou sufocada de pavor e repúdio.

— Não.

— E por que não? — sussurrou ele. — Por que não experimentar, Elena? Seja franca. Não há uma parte de você que quer isso? — Os olhos escuros de Damon estavam tomados por um calor e uma intensidade que a mantinham petrificada, incapaz de desviar o olhar. — Posso despertar coisas que estiveram adormecidas aí dentro por toda sua vida. Você é forte o bastante para viver nas trevas, e de forma esplendorosa. Pode se tornar uma rainha das sombras. Por que não aceitar o Poder, Elena? Deixe-me ajudá-la a tê-lo.

— *Não* — disse ela, se forçando a desviar os olhos dos dele. Não ia encará-lo, não deixaria que ele fizesse aquilo. Não se permitiria esquecer... Esquecer...

— Este é o segredo definitivo, Elena — disse Damon. A voz dele era tão suave quanto as pontas dos dedos que tocavam o pescoço dela. — Você será feliz como nunca na vida.

Ela precisava se lembrar de algo terrivelmente importante. Ele estava usando o Poder para fazê-la esquecer, mas Elena não permitiria isso...

— E vamos ficar juntos, você e eu. — As pontas daqueles dedos frios afagaram a lateral do pescoço de Elena, descendo pela gola do suéter. — Só nós dois, para sempre.

Houve uma pontada súbita de dor quando os dedos dele roçaram as duas feridas minúsculas no pescoço de Elena, e a mente dela clareou.

Fizesse esquecer... *Stefan.*

Era isso que ele queria arrancar da mente dela. A lembrança de Stefan, de seus olhos verdes e daquele sorriso por trás do qual sempre havia uma tristeza oculta. Mas agora nada podia obrigá-la a tirar Stefan de seus pensamentos, não depois do que eles compartilharam. Ela se afastou de Damon, afugentando aqueles dedos frios. E então o encarou.

— Já encontrei o que eu quero — disse ela, rispidamente. — E com quem quero ficar para sempre.

A escuridão brotou nos olhos dele, uma fúria gélida que varreu o ar entre os dois. Enquanto fitava os olhos de Damon, Elena pensou numa cobra prestes a dar o bote.

— Não seja idiota como meu irmão — disse ele. — Ou terei de tratá-la da mesma maneira.

Agora ela estava com medo. Não pôde evitar, não com o frio que se derramava sobre ela e gelava seus ossos. O vento havia aumentado, os galhos se debatiam.

— Diga onde ele está, Damon.

— Neste momento? Não sei. Não pode parar de pensar nele nem por um instante?

— Não! — Ela estremeceu, o cabelo chicoteava seu rosto novamente.

— E esta é sua última resposta de hoje? Pense se realmente quer fazer este jogo comigo, Elena. As consequências não são nada divertidas.

— Tenho *certeza* disso. — Ela precisava impedi-lo antes que ele a dominasse novamente. — E você não pode me intimidar, Damon. Ou ainda não percebeu isso? No momento em que Stefan me disse o que vocês eram, o que faziam, você perdeu todo o poder que poderia ter sobre mim. Eu *odeio* você. Sinto verdadeiro nojo. E não há nada que possa fazer a mim, nada.

O rosto de Damon se alterou, retorcendo-se e paralisando sem nenhuma sensualidade, tornando-se cruel e severo de tão amargurado. Ele deu uma risada breve.

— Nada? — disse ele. — Posso fazer *qualquer coisa* com você e com aqueles que mais ama. Você não faz ideia, Elena, do que sou capaz de fazer. Mas vai aprender.

Ele recuou e o vento cortou Elena como uma faca. A visão dela parecia estar se toldando; era como se raios luminosos preenchessem o ar diante de seus olhos.

— O inverno está chegando, Elena — disse ele, com um tom de voz claro e arrepiante mesmo sob o uivo do vento. — Uma estação implacável. Antes que ele venha, terá de aprender o que posso e não posso fazer. Antes que o inverno esteja aqui, terá se unido a mim. Você será minha.

Aquela brancura retorcida a cegava e ela não conseguia mais enxergar o volume escuro da figura de Damon. Agora até a voz dele esmorecia. Ela envolveu o próprio corpo, de cabeça baixa, tremendo. Então sussurrou: "Stefan..."

— Ah, e mais uma coisa — a voz de Damon voltou. — Você perguntou por meu irmão. Não se incomode em procurar por ele, Elena. Eu o matei ontem à noite.

A cabeça de Elena se ergueu de repente, mas não havia nada para ver, só aquela brancura vertiginosa, que queimava em seu nariz e no rosto e se acumulava sobre os cílios. Foi somente neste momento, enquanto finos grãos se acomodavam em sua pele, que ela percebeu o que eram: flocos de neve.

Estava nevando no início de novembro. No horizonte, o sol se fora.

2

Um crepúsculo nada natural pendia sobre o cemitério abandonado. A neve toldava os olhos de Elena e o vento entorpecia seu corpo como se ela tivesse entrado numa corrente de água gelada. No entanto, ela decidiu não virar na direção do cemitério moderno e da estrada que começava logo depois dele. Pelo que podia avaliar, a ponte Wickery estava à frente. Então ela seguiu reto.

A polícia encontrou o carro abandonado de Stefan perto da Old Creek Road. Isso significava que ele o havia deixado em algum ponto entre o córrego Drowning e o bosque. Elena cambaleou pela trilha cheia de mato que cortava o cemitério, mas manteve-se o tempo todo em movimento, segurando o suéter leve. Conhecia bem este cemitério e podia encontrar o caminho de olhos fechados.

No momento em que cruzava a ponte, seu tremor tornou-se algo doloroso. Agora já não nevava tanto, mas o vento piorara. Atravessava suas roupas como se fossem feitas de lenço de papel e tirava seu fôlego.

Stefan, pensou ela, e entrou na Old Creek Road, indo para o norte. Não acreditava no que Damon dissera. Se Stefan estivesse morto, ela *saberia*. Ele estava vivo, em algum lugar, e ela precisava encontrá-lo. Ele podia estar em qualquer lugar nesta brancura que girava; podia estar ferido, congelando. Sutilmente, Elena sentiu que não raciocinava mais. Todos os seus pensamentos se estreitaram em uma única ideia. Stefan. Encontrar Stefan.

Ficava cada vez mais difícil manter-se na estrada. À direita ficavam os carvalhos, à esquerda, as águas velozes do córrego Drowning. Ela cambaleou e reduziu o passo. O vento não parecia tão ruim agora, mas ela estava muito cansada. Precisava se sentar e descansar, só por um minuto.

Enquanto se abaixava ao lado da estrada, de repente percebeu como fora ingênua ao sair em busca de Stefan. Ele viria a ela. Só o que precisava fazer era ficar sentada e esperar. Ele já devia estar a caminho.

Elena fechou os olhos e encostou a cabeça nos joelhos dobrados. Sentia-se muito mais aquecida agora. Deixou a mente vagar e viu Stefan, sorrindo para ela. Os braços em volta dela eram fortes e seguros e ela relaxou, feliz por se livrar do medo e da tensão. Ela estava em casa. Estava em seu lugar. Stefan jamais deixaria que algo a ferisse.

Mas, em vez de abraçá-la, Stefan a sacudia. Ele estava estragando a linda tranquilidade de seu descanso. Ela viu o rosto dele, pálido e urgente, os olhos verdes escuros de dor. Tentou dizer a ele para ficar quieto, mas ele não ouvia. *Elena, levante-se*, disse ele, e Elena sentiu a força daqueles olhos verdes instando-a a agir. *Elena, levante-se agora...*

— Elena, levante-se! — A voz era alta, aguda e assustada.

— Vamos, Elena. Levante-se! Não podemos carregar você!

Piscando, Elena colocou um rosto em foco. Era pequeno e com formato de coração; a pele clara, quase transparente, uma massa de cachos ruivos e macios emoldurava a figura. Olhos castanhos arregalados, com flocos de neve presos nos cílios, fitavam-na preocupados.

— Bonnie — disse ela, devagar. — O que está fazendo aqui?

— Está me ajudando a procurar por você — disse uma segunda voz, mais baixa, do outro lado de Elena. Ela se virou devagar e viu sobrancelhas elegantes e arqueadas e uma tez morena. Os olhos escuros de Meredith, em geral tão irônicos, agora também pareciam preocupados. — Levante-se, Elena, a não ser que queira se tornar a princesa de gelo de verdade.

A neve cobria o corpo de Elena como um casaco de pele branco.

Rigidamente, Elena se levantou, apoiando-se fortemente nas duas meninas. Elas a conduziram para o carro de Meredith.

Devia estar mais quente dentro do carro, mas as terminações nervosas de Elena voltavam à vida, fazendo-a tremer, sinalizando o quão frio estava seu corpo. O inverno é uma estação implacável, pensou ela enquanto Meredith dirigia.

— O que está havendo, Elena? — disse Bonnie do banco traseiro. — Por que você fugiu da escola daquele jeito? E como pôde vir para *cá*?

Elena hesitou, depois sacudiu a cabeça. Queria desesperadamente contar tudo a Bonnie e Meredith. Contar toda a apavorante história de Stefan e Damon e o que realmente aconteceu na noite passada com o Sr. Tanner — e o que aconteceu depois também. Mas não podia. Mesmo que elas acreditassem, não cabia a ela revelar o segredo.

— Todo mundo está procurando por você — disse Meredith.

— Toda a escola está agitada e sua tia está quase histérica.

— Desculpe — disse Elena desanimada, tentando reprimir os tremores violentos. Então, elas entraram na Maple Street e pararam na casa de Elena.

Tia Judith esperava do lado de fora com cobertores aquecidos.

— Eu sabia que se a encontrassem, você estaria meio congelada — disse ela numa voz propositalmente animada enquanto estendia a mão para Elena. — Neve um dia depois do Halloween! Nem acredito nisso. Onde a encontraram, meninas?

— Na Old Creek Road, depois da ponte — disse Meredith.

O rosto fino da tia Judith perdeu a cor.

— Perto do cemitério? Onde aconteceram os ataques? Elena, como *pôde*?... — A voz de tia Judith falhou enquanto ela olhava para Elena. — Não vamos falar mais nada sobre isso agora — disse ela, tentando recuperar o ânimo. — Vamos tirar essas roupas molhadas.

— Preciso voltar para lá assim que estiver seca — disse Elena. Seu cérebro trabalhava novamente e uma coisa era clara: ela não vira Stefan por lá; tudo havia sido um sonho. Stefan ainda estava desaparecido.

— Não precisa fazer nada disso — disse Robert, noivo da tia Judith. Até então, Elena mal dera pela presença dele, parado ali de lado. Mas seu tom de voz não permitia discussões. — Eles estão procurando por Stefan; deixe que a polícia faça o trabalho dela — disse ele.

— Eles acham que foi Stefan quem matou o Sr. Tanner, mas não foi ele. Vocês sabem disso, não sabem? — Enquanto tia Judith tirava o suéter ensopado, Elena olhava de um rosto para outro procurando ajuda, mas todos eram iguais. — Vocês *sabem* que ele não fez isso — repetiu ela, quase desesperada.

Houve um silêncio.

— Elena — disse Meredith por fim —, ninguém quer pensar que foi ele. Mas... Bom, parece bem esquisito ele fugir desse jeito.

— Ele não fugiu. Não foi ele! Ele *não*...

— Calma, Elena — disse a tia Judith. — Não fique tão agitada. Acho que você está ficando doente. Estava tão frio lá fora e você só dormiu algumas horas na noite passada... — Ela pôs a mão no rosto da sobrinha.

De repente, foi demais para Elena. Ninguém acreditava nela, nem mesmo suas amigas e sua família. Neste momento, ela se sentiu cercada de inimigos.

— Não estou doente — gritou, se afastando. — E também não estou louca... Ou o que quer que pensem. Stefan não fugiu e não matou o Sr. Tanner, e não ligo se nenhum de vocês acredita em mim... — Ela parou, ofegando. Tia Judith estava alvoroçada em volta dela, apressando-a escada acima, e ela se deixou levar. Mas Elena não foi para a cama quando a tia Judith sugeriu que devia estar cansada. Em vez disso, depois de se aquecer, sentou-se no sofá da sala perto da lareira, debaixo de uma pilha de mantas. O telefone tocou a tarde toda e ela ouviu a tia falando com amigos, vizinhos, com a escola. Garantia a todos que Elena estava bem. A... tragédia da noite anterior a afetara um pouco, foi só isso, e ela parecia meio febril. Mas ia ficar nova em folha assim que descansasse.

Meredith e Bonnie estavam sentadas ao lado dela.

— Quer conversar? — disse Meredith em voz baixa. Elena sacudiu a cabeça, olhando o fogo. Todos estavam contra ela. E tia Judith se enganava: ela não estava bem. Só ficaria bem quando Stefan fosse encontrado.

Matt apareceu para uma visita, espanando a neve de seu cabelo louro e do anoraque azul-escuro. Enquanto ele entrava na casa, Elena o olhou cheia de esperanças. Ontem Matt ajudara a salvar Stefan, quando o resto da escola queria linchá-lo. Mas hoje ele retribuiu o olhar esperançoso dela com outro de remorso, a preocupação em seus olhos azuis era só por ela.

A decepção foi insuportável.

— O que está fazendo aqui? — perguntou Elena. — Cumprindo a promessa de cuidar de mim?

A mágoa palpitou nos olhos dele. Mas a voz de Matt era estável.

— Talvez seja parte do motivo. Mas eu tentaria cuidar de você de qualquer maneira, independentemente do que tenha prometido. Eu estava preocupado com você. Olha, Elena...

Ela não estava com humor para ouvir mais nada.

— Bom, estou bem, muito obrigada. Pergunte a qualquer um aqui. Então pode parar de se preocupar. Além disso, não entendo por que você quer cumprir uma promessa feita a um *assassino*.

Sobressaltado, Matt olhou para Meredith e Bonnie. Depois sacudiu a cabeça, desanimado.

— Não está sendo justa.

Elena também não estava com humor para ser justa.

— Eu já disse: pode parar de se preocupar comigo e com a minha vida. Estou bem, obrigada.

A implicação era evidente. Matt se virou para a porta assim que a tia Judith apareceu com sanduíches.

— Desculpe, tenho que ir — murmurou, correndo para a porta. Ele saiu sem olhar para trás.

Meredith, Bonnie, tia Judith e Robert tentaram conversar enquanto jantavam, mais cedo que de costume, perto da lareira. Elena não conseguiu comer e não falou nada. A única pessoa que não estava infeliz era a irmã mais nova de Elena, Margaret. Com o otimismo dos 4 anos de idade, ela se aninhou junto a Elena e ofereceu parte de seus doces de Halloween.

Elena abraçou a irmã com força, por um momento chegando a esmagar o rosto no cabelo louro-claro de Margaret. Se Stefan pudesse ligar para ela ou mandar um recado, a essa altura já o teria feito. Nada no mundo o teria impedido, a não ser que ele estivesse muito ferido, ou preso em algum lugar, ou...

Elena não queria nem pensar neste último "ou". Stefan estava vivo; tinha de estar vivo. Damon era um mentiroso.

Mas Stefan estava em perigo e ela precisava encontrá-lo de algum modo. Ela se preocupou com isso a noite toda, tentando desesperadamente bolar um plano. Uma coisa era clara: Elena estava sozinha. Não podia mais confiar em ninguém.

Escureceu lá fora. Elena se remexeu no sofá e soltou um bocejo forçado.

— Estou cansada — disse baixinho. — Talvez eu esteja mesmo doente. Acho que vou para a cama.

Meredith olhava sutilmente para ela.

— Eu estava pensando, Srta. Gilbert — disse ela, virando-se para a tia Judith —, que talvez Bonnie e eu devêssemos passar a noite aqui. Para fazer companhia a Elena.

— Que boa ideia — disse a tia Judith, satisfeita. — Desde que seus pais não se importem, será um prazer tê-las aqui.

— É uma viagem longa até Herron. Acho que vou ficar também — disse Robert. — Posso me deitar no sofá. — Tia Judith protestou que havia muitos quartos de hóspedes no segundo andar, mas Robert foi inflexível. O sofá seria ótimo para ele, afirmou.

Depois de olhar do sofá para o corredor onde a porta da frente estava à plena vista, Elena se sentou rigidamente. Eles haviam planejado isso, ou, pelo menos, todos haviam decidido o mesmo agora. Estavam se certificando de que ela não saísse da casa.

Quando saiu do banheiro pouco tempo depois, enrolada em seu quimono de seda vermelha, Elena encontrou Meredith e Bonnie sentadas em sua cama.

— Ora, olá, Rosencrantz e Guildenstern — disse ela com amargura.

Bonnie, que antes parecia deprimida, agora parecia alarmada. Encarou Meredith com um olhar de dúvida.

— Ela sabe quem somos. Ela quer dizer que acha que somos espiãs da tia dela — interpretou Meredith. — Elena, sabe muito bem que não é isso. Não pode confiar em nós?

— Não sei. Posso?

— Pode, porque nós somos suas *amigas*. — Antes que Elena pudesse se mexer, Meredith pulou da cama e fechou a porta. Depois se virou de frente para ela. — Agora, pela primeira vez na sua vida, me escute, sua idiotinha. É verdade que não sabemos o que pensar de Stefan. Mas será que não vê que é por sua culpa? Desde que você e ele ficaram juntos, você tem nos excluído. Aconteceram coisas que você não nos contou. Pelo menos não nos contou a história toda. Mas apesar disso, apesar de tudo, ainda confiamos em você. Ainda nos importamos com você. Ainda estamos do seu lado, Elena. E queremos ajudar. E se você não enxerga isso, então *é mesmo* uma idiota.

Lentamente, Elena trocou o olhar do rosto moreno e intenso de Meredith para a palidez de Bonnie. Bonnie assentiu.

— É verdade — disse ela, piscando muito, como quem quer evitar as lágrimas. — Mesmo que não goste de nós, ainda gostamos de *você*.

Elena sentiu os próprios olhos marejados e sua expressão severa desfez-se. Bonnie então saiu da cama e as três se abraçaram, e Elena descobriu que não era capaz de evitar as lágrimas que desciam por seu rosto.

— Desculpe se não tenho conversado com vocês — disse ela. — Sei que não entenderiam e não posso explicar por que não posso contar tudo. Simplesmente *não posso*. Mas há algo que posso contar. — Ela recuou um passo, limpando o rosto, e olhou para elas com franqueza. — Por piores que sejam as evidências contra Stefan, *ele não matou o Sr. Tanner*. Sei que não foi ele, porque sei quem fez. E foi a mesma pessoa que atacou Vickie e o velho debaixo da ponte. E... — ela parou e pensou por um momento. — E, bem, Bonnie, acho que matou Yangtze também.

— *Yangtze?* — Os olhos de Bonnie se arregalaram. — Mas por que ele mataria um cachorro?

— Não sei, mas ele estava lá naquela noite, em sua casa. E ele estava... Com raiva. Sinto muito, Bonnie.

Bonnie sacudiu a cabeça, abismada. Meredith disse:

— Por que não contou à polícia?

O riso de Elena foi meio histérico.

— Não posso. Não é algo com que eles possam lidar. E esta é outra coisa que não posso explicar. Vocês disseram que ainda confiam em mim; bom, terão de confiar em mim nisso também.

Bonnie e Meredith olharam uma para outra, depois para a colcha, onde os dedos nervosos de Elena pegavam um fio do bordado. Por fim Meredith disse:

— Tudo bem. O que podemos fazer para ajudar?

— Não sei. Nada, a não ser... — Elena parou e olhou para Bonnie. — A não ser — disse ela, numa voz alterada — que você possa me ajudar a encontrar Stefan.

Os olhos castanhos de Bonnie estavam genuinamente confusos.

— Eu? Mas o que eu posso fazer? — Depois, ao ouvir Meredith respirar fundo, ela disse: — Ah. *Ah.*

— Você sabia onde eu estava naquele dia em que fui ao cemitério — disse Elena. — E você previu que Stefan ia à escola.

— Pensei que não levasse à sério essa coisa de paranormalidade — disse Bonnie, hesitante.

— Aprendi umas coisinhas desde então. De qualquer forma, estou disposta a acreditar *em qualquer coisa*, se ajudar a encontrar Stefan. Se ainda existir alguma chance, isso pode ajudar.

Bonnie estava recurvada, como se tentasse diminuir de tamanho.

— Elena, você não entende — disse ela, com pesar. — Não sou treinada; não é algo que eu consiga controlar. E... isso não é uma brincadeira, não é mais. Quanto mais você usa esses poderes, mais eles usam *você*. Um dia eles podem terminar usando você o tempo todo, quer você queira ou não. É *perigoso*.

Elena se levantou e andou até a cômoda de cerejeira, olhando sem ver. E por fim se virou.

— Tem razão; não é uma brincadeira. E acredito em você sobre o perigo que pode ser. Mas não é brincadeira para Stefan também. Bonnie, acho que ele está lá fora, em algum lugar, terrivelmente ferido. E não há ninguém para ajudá-lo; ninguém nem mesmo procura por ele, a não ser inimigos. Ele pode estar morrendo agora mesmo. Ele... Ele pode até estar... — Sua garganta se fechou. Ela tombou a cabeça sobre a cômoda e respirou fundo, tentando se controlar. Quando olhou para cima, viu que Meredith olhava para Bonnie.

Bonnie endireitou os ombros, sentando-se o mais ereta que podia. Seu queixo se ergueu e a boca se firmou. E nos olhos castanhos normalmente brandos, uma luz severa brilhava enquanto encontravam os de Elena.

— Precisamos de uma vela — foi tudo o que ela disse.

O fósforo foi riscado e lançou centelhas na escuridão, depois a chama da vela ardeu forte e brilhante, conferindo ao rosto pálido de Bonnie um brilho dourado. A menina ficou curvada sobre a vela.

— Vou precisar que as duas me ajudem a me concentrar — disse ela. — Olhem para a chama e pensem em Stefan. Imaginem Stefan. O que quer que aconteça, continuem olhando para a chama. E o que quer que aconteça, não digam nada.

Elena assentiu, e o único som no quarto foi a respiração suave. A chama bruxuleava e dançava, lançando padrões de luz nas três meninas sentadas de pernas cruzadas em volta da vela. Bonnie, de olhos fechados, respirava profunda e lentamente, como alguém caindo no sono.

Stefan, pensou Elena, olhando a chama, tentando imprimir toda sua vontade no pensamento. Ela o criou em sua mente, usando todos os sentidos, conjurando-o para ela. A aspereza do suéter de lã sob seu rosto, o cheiro da jaqueta de couro, a força de seus braços em volta dela. Ah, Stefan...

Os cílios de Bonnie estremeceram, e sua respiração se acelerou, como alguém que estivesse tendo um pesadelo. Resoluta, Elena manteve os olhos na chama, mas quando Bonnie rompeu o silêncio, um arrepio percorreu sua espinha.

De início foi só um gemido, o som de alguém com dor. Depois, enquanto Bonnie balançava a cabeça, a respiração saindo em lufadas curtas, vieram as palavras.

— Sozinho... — disse ela, e parou. As unhas de Elena cravaram na mão dela. — Sozinho... no escuro — disse Bonnie. A voz era distante e torturada.

Houve silêncio de novo e Bonnie começou a falar rapidamente.

— Está escuro e frio. E estou sozinho. Algo está atrás de mim... algo denteado e duro. Pedras. Usaram para me machucar... Mas não agora. Agora estou dormente, de frio. Tão frio... — Bonnie se retorceu, como se tentasse se livrar de alguma coisa, e depois riu, uma risada pavorosa, quase como um soluço. — Que... engraçado. Nunca pensei que quisesse tanto ver o sol. Mas está sempre escuro aqui. E frio. Há água até meu pescoço, como gelo. Isso também é engraçado. Água em toda parte... E morrendo de sede. Tanta sede... Isso dói...

Elena sentiu algo apertar seu coração. Bonnie estava dentro dos pensamentos de Stefan e quem sabia o que podia descobrir ali? Stefan, diga-nos onde você está, pensou ela desesperadamente. Olhe em volta, diga o que vê.

— Sede... Preciso de... vida? — A voz de Bonnie era insegura, como se não soubesse como traduzir um conceito. — Estou fraco. Ele disse que sempre fui o fraco. Ele é forte... Um matador. Mas é o que eu sou também. Matei Katherine; talvez eu mereça morrer. Por que não me deixar levar?...

— Não! — disse Elena antes que pudesse se reprimir. Neste instante, ela se esqueceu de tudo, só o que tinha em mente era a dor de Stefan. — Stefan...

— Elena! — Meredith soltou um grito agudo ao mesmo tempo. Mas a cabeça de Bonnie tombou para frente, o fluxo de palavras interrompido. Apavorada, Elena percebeu o que fizera.

— Bonnie, você está bem? Pode encontrá-lo de novo? Eu não queria...

A cabeça de Bonnie se ergueu. Seus olhos agora estavam abertos, mas não olhavam nem para a vela, nem para Elena. Fitavam à frente, sem expressão. Quando Bonnie falou, sua voz estava distorcida e o coração de Elena parou. Não era a voz de Bonnie, mas outra que Elena reconhecia. Ela a ouvira saindo dos lábios de Bonnie antes, no cemitério.

— Elena — disse a voz —, não vá à ponte. É a Morte, Elena. Sua morte a espera ali. — Depois Bonnie tombou para frente.

Elena a pegou pelos ombros e a sacudiu.

— Bonnie! — ela quase gritava. — Bonnie!

— O quê... Ah, não. Passou. — A voz de Bonnie era fraca e trêmula, mas era dela. Ainda recurvada, ela pôs a mão na testa.

— Bonnie, você está bem?

— Acho que... sim. Mas foi tão estranho. — Seu tom se aguçou e ela levantou a cabeça, piscando. — O que foi isso, Elena, sobre ser um matador?

— Você se lembra disso?

— Eu me lembro de tudo. Não posso descrever; foi medonho. Mas o que isso *significa*?

— Nada — disse Elena. — Ele está alucinando, só isso.

Meredith se intrometeu.

— Ele? Então acha realmente que ela se transformou em Stefan?

Elena assentiu, os olhos inflamados e ardendo enquanto virava a cara.

— Sim. Acho que era Stefan. Só podia ser. E acho que ela até nos disse onde ele está. Debaixo da ponte Wickery, na água.

3

Bonnie a encarou.

— Não me lembro de nada sobre a ponte. Não parecia uma ponte.

— Mas você mesma disse, no final. Pensei que se lembrasse... — A voz de Elena sumiu. — Não se lembra dessa parte... — disse ela simplesmente. Não era uma pergunta.

— Eu me lembro de estar sozinha, em um lugar frio e escuro, me sentindo fraca. E com sede. Ou seria fome? Não sei, mas eu precisava... De alguma coisa. E quase quis morrer. E então você me despertou.

Elena e Meredith trocaram um olhar.

— E depois disso — disse Elena a Bonnie —, você disse mais uma coisa, numa voz estranha. Disse para não chegar perto da ponte.

— Ela disse para *você* não chegar perto da ponte — corrigiu Meredith. — Você, em particular, Elena. Ela disse que a Morte a esperava.

— Não ligo para o que me espera — disse Elena. — Se é lá que Stefan está, então é para lá que vou.

— Então é para lá que todas nós vamos — disse Meredith. Elena hesitou.

— Não posso pedir isso a vocês — disse ela, lentamente.

— Pode ser perigoso... Um perigo que vocês não conhecem. Pode ser melhor eu ir sozinha.

— Está brincando? — disse Bonnie, empinando o queixo.

— Nós *adoramos* perigo. Quero estar jovem e bonita em meu túmulo, lembra?

— Não — disse Elena rapidamente. — Você mesma disse que isso não era uma brincadeira.

— Também não é para Stefan — ressaltou Meredith. — Não vamos conseguir fazer nada por ele ficando aqui.

Elena já se livrava do quimono, andando até o armário.

— É melhor nos agasalharmos bem. Peguem o que quiserem para se aquecer — disse ela.

Quando as três estavam mais ou menos vestidas de forma apropriada para o clima, Elena se voltou para a porta. Depois parou.

— Robert — lembrou ela. — Não há como sairmos pela porta da frente passando por ele, mesmo que ele esteja dormindo.

Ao mesmo tempo, as três viraram-se para olhar a janela.

— Ah, que maravilha — disse Bonnie.

Enquanto subiam no marmeleiro, Elena percebeu que tinha parado de nevar. Mas a ferroada do ar em seu rosto a lembrou das palavras de Damon. O inverno é uma estação implacável, pensou ela, e tremeu.

Todas as luzes da casa estavam apagadas, inclusive as da sala de estar. Robert já devia ter ido dormir. Mesmo assim, Elena prendeu a respiração ao se esgueirarem pelas janelas escuras. O carro de Meredith estava um pouco distante, na rua. Na última hora, Elena decidiu pegar uma corda e silenciosamente abriu a porta da garagem. A correnteza era forte no córrego Drowning e seria perigoso andar na beira do rio.

A viagem de carro até o último canto da cidade foi tensa. Enquanto elas passavam pelos arredores do bosque, Elena se lembrou de como as folhas sopraram nela no cemitério. Particularmente folhas de carvalho.

— Bonnie, os carvalhos têm algum significado especial? Sua avó alguma vez falou sobre eles?

— Bem, são sagrados para os druidas. Todas as árvores são, mas os carvalhos são as árvores mais sagradas. Eles pensavam que o espírito das árvores inspirava poder.

Elena digeriu isso em silêncio. Quando chegaram à ponte e saíram do carro, ela deu uma olhada inquieta nos carvalhos do lado direito da estrada. Mas a noite estava clara e estranhamente calma, e nenhuma brisa agitava as folhas castanhas e secas que restavam nos galhos.

— Fiquem atentas a um corvo — disse ela a Bonnie e Meredith.

— Um corvo? — disse Meredith asperamente. — Como o corvo do lado de fora da casa de Bonnie na noite em que Yangtze morreu?

— Na noite em que Yangtze foi morto. Sim. — Com o coração acelerado, Elena se aproximou das águas escuras do córrego Drowning. Apesar do nome, não era um córrego, mas um rio de correnteza rápida, com barrancos nas margens. Acima dele, ficava a ponte Wickery, uma estrutura de madeira construída há quase um século. Antigamente, era forte o bastante para suportar carroças; agora era só uma passarela para pedestres que ninguém usava porque era muito fora de mão. Era um lugar árido, solitário e nada amistoso, pensou Elena. Aqui e ali, apareciam trechos de neve no chão.

Apesar das corajosas palavras ditas anteriormente, Bonnie estava ficando para trás.

— Lembra a última vez em que passamos por essa ponte? — disse ela.

Lembro bem demais, pensou Elena. Na última vez em que atravessaram, elas foram perseguidas por... uma coisa... do cemitério. Ou alguém, pensou ela.

— Ainda não vamos atravessar — disse ela. — Primeiro vamos dar uma olhada na lateral.

— Onde o velho foi encontrado com a garganta cortada — murmurou Meredith, mas a seguiu.

Os faróis do carro só iluminavam uma pequena parte da margem sob a ponte. Ao sair da estreita cunha de luz, Elena sentiu um arrepio nauseante de premonição. A Morte está esperando, disse a voz. Será que a Morte estava aqui embaixo?

Seus pés escorregaram nas pedras úmidas e espumosas. Só o que podia ouvir era o correr da água e o eco vazio na ponte acima. E, embora ela semicerrasse os olhos, só o que conseguia ver no escuro era a margem irregular do rio e os suportes de madeira da ponte.

— Stefan? — sussurrou ela e quase ficou feliz pelo barulho da água engolfar sua voz. Ela se sentia como uma pessoa dizendo "quem está aí?" para uma casa vazia, mas com medo de alguém responder.

— Isso não está certo — disse Bonnie de trás dela.

— Como assim?

Bonnie olhava em volta, sacudindo a cabeça devagar, o corpo tenso de concentração.

— Simplesmente parece errado. Eu não... Bom, para começar eu não ouvi o rio antes. Não conseguia ouvir nada, só o silêncio mortal.

O coração de Elena desabou de desânimo. Parte dela sabia que Bonnie tinha razão, que Stefan não estava nesse lugar ermo e solitário. Mas parte dela estava assustada demais para dar ouvidos.

— Precisamos ter certeza — disse ela, vencendo o aperto no peito para se aproximar mais do escuro, tateando o caminho porque não conseguia enxergar nada. Mas por fim teve de admitir que não havia sinal de que alguém estivera recentemente ali. Tampouco sinal de uma cabeça escura na água. Ela limpou as mãos frias e lamacentas no jeans.

— Podemos olhar do outro lado da ponte — disse Meredith, e Elena assentiu mecanicamente. Mas não precisou ver a expressão de Bonnie para saber o que encontraria. Este era o lugar errado.

— Vamos dar o fora daqui — disse ela, subindo pela vegetação para a cunha de luz além da ponte. Assim que a alcançou, Elena ficou paralisada.

Bonnie arfou.

— Ai, meu Deus...

— Volte — sibilou Meredith. — Suba na margem.

Numa clara silhueta contra os faróis do carro, havia uma figura escura. Elena, com o olhar fixo e o coração batendo loucamente, não conseguiu identificar quem era, apenas percebeu que era um homem. O rosto dele estava na parte escura, mas ela teve uma sensação terrível.

O homem estava se aproximando delas.

Abaixando-se para ficar fora de vista, Elena se agachou contra a margem lamacenta debaixo da ponte, apequenando-se ao máximo. Podia sentir Bonnie tremendo atrás dela e os dedos de Meredith afundando em seu braço.

Elas não podiam ver nada dali, mas de repente houve um passo pesado na ponte. Mal ousando respirar, elas se espremeram uma na outra, os rostos virados para cima. Passos pesados atravessaram as tábuas de madeira, afastando-se delas.

Por favor, continue, pensou Elena. Ah, por favor...

Ela cravou os dentes nos lábios, depois Bonnie gemeu suavemente, a mão gelada agarrada em Elena. Os passos estavam voltando.

Eu devia ir lá, pensou Elena. É a mim que ele quer, e não a elas. Ele disse isso. Eu devia ir lá e enfrentá-lo, e talvez ele deixe Bonnie e Meredith em paz. Mas a raiva furiosa que a sustentara nesta manhã agora virara cinzas. Nem com toda a força de vontade ela poderia soltar a mão de Bonnie, não conseguiria se soltar.

Os passos soaram bem acima delas. Depois houve um silêncio seguido de um barulho na margem.

Não, pensou Elena, o corpo eletrizado de medo. Ele estava descendo. Bonnie gemeu e enterrou a cabeça no ombro de Elena, e esta sentiu cada músculo tenso enquanto notava o movimento, e pés, pernas surgindo no escuro. *Não...*

— O que vocês estão *fazendo* aqui?

Primeiramente, a mente de Elena se recusou a processar a informação. Ainda estava em pânico e quase gritou quando Matt deu outro passo, descendo a margem, espiando sob a ponte.

— Elena? O que está *fazendo*? — disse ele de novo.

A cabeça de Bonnie voou para cima. A respiração de Meredith explodiu de alívio. A própria Elena sentiu os joelhos cedendo.

— *Matt* — disse ela. Foi só o que conseguiu falar.

Bonnie foi mais sonora.

— O que *você* acha que está fazendo? — disse ela num tom crescente. — Quer nos matar do coração? O que está fazendo aqui fora a esta hora da noite?

Matt enfiou a mão no bolso, sacudindo moedas. Enquanto as meninas saíam de debaixo da ponte, ele olhou para o rio.

— Eu segui vocês.

— Você *o quê?* — disse Elena.

Com relutância, ele girou para encará-la.

— Eu segui vocês — repetiu ele, os ombros tensos. — Imaginei que acharia um jeito de enganar sua tia e sair de novo. Então fiquei sentado no meu carro do outro lado da rua, olhando sua casa. E lá estavam as três saindo pela janela. Então segui vocês até aqui.

Elena não sabia o que dizer. Estava com raiva, e é claro que ele provavelmente só tinha feito isso para cumprir a promessa que fizera a Stefan. Mas a ideia de Matt sentado lá fora em seu Ford velho e amassado, talvez morrendo de frio e sem jantar... Isso causou tanta agonia em Elena que ela achou melhor ignorar.

Ele olhava o rio de novo. Ela se aproximou e falou em voz baixa.

— Desculpe, Matt — disse ela —, pelo modo como agi lá em casa mais cedo, e... por... — Ela se atrapalhou por um minuto e desistiu. Por tudo, pensou ela desolada.

— Bom, peço desculpas por ter assustado vocês. — Ele se virou animado para fitá-la, como se isso resolvesse a questão. — Agora podem, por favor, me dizer o que acham que estão fazendo?

— Bonnie pensou que Stefan poderia estar aqui.

— Bonnie não pensou nada — disse Bonnie. — Bonnie disse agora mesmo que este era o lugar errado. Estamos procurando por um lugar silencioso, sem barulhos e fechado. E eu estava me sentindo... cercada — explicou ela a Matt.

Matt a olhou com cautela, como se ela pudesse morder.

— Claro que sim — disse ele.

— Tinha pedras em volta de mim, mas não eram como essas pedras do rio.

— Ah, não, claro que não eram. — Ele olhou de lado para Meredith, que teve pena dele.

— Bonnie teve uma visão — disse ela.

Matt recuou um pouco e Elena pôde ver seu perfil nos faróis. Pela expressão dele, Elena percebeu que ele não sabia se fugia ou se amarrava as três e as levava ao manicômio mais próximo.

— Isso não é brincadeira — disse ela. — Bonnie é paranormal, Matt. Sei que eu sempre disse que não acreditava nesse tipo de coisa, mas estava errada. Você não sabe como eu estava errada. Esta noite, ela... Ela entrou em sintonia com Stefan em algum lugar e teve uma visão de onde ele está.

Matt respirou longamente.

— Sei. Tudo bem...

— Não me trate com condescendência! Não sou idiota, Matt, e estou dizendo que isso é pra valer. Ela esteve lá, com Stefan; ela soube de coisas que só ele sabia. E viu o lugar onde ele está preso.

— Preso — repetiu Bonnie. — É isso. Sem dúvida não havia nada aberto, como um rio. Mas tinha água, água até meu pescoço. Até o pescoço *dele*. E paredes de pedra em volta, cobertas de um musgo grosso. A água era gelada e parada, e cheirava mal.

— Mas o que você *viu*? — disse Elena.

— Nada. Era como se eu estivesse cega. De algum modo eu sabia que se houvesse o mais leve raio de sol, eu seria capaz de ver, mas não conseguia. Estava escuro como uma tumba.

— Como uma tumba... — Arrepios tênues percorreram Elena. Ela pensou na igreja em ruínas na colina acima do cemitério. Havia uma tumba ali, uma tumba que ela pensou ter visto aberta uma vez.

— Mas uma tumba não teria tanta água — dizia Meredith.

— Não... Mas então não consigo entender *onde* poderia ser — disse Bonnie. — Stefan não estava em seu juízo perfeito; estava fraco demais e ferido. E com tanta sede...

Elena abriu a boca para impedir que Bonnie continuasse, mas Matt se intrometeu.

— Vou dizer o que isso me parece — disse ele.

As três meninas olharam para ele, que estava meio separado delas, como quem ouve a conversa alheia. Quase tinham se esquecido dele.

— Posso saber o que é? — disse Elena.

— Um poço — disse ele. — Quero dizer, parece um poço.

Elena piscou, a excitação se agitando nela.

— Bonnie?

— *Podia* ser — disse Bonnie devagar. — O tamanho, as paredes, tudo combina. Mas um poço é aberto; eu teria visto as estrelas.

— Não se estiver tampado — disse Matt. — Um monte de fazendas por aqui têm poços que não estão mais em uso, e alguns fazendeiros os deixam tampados para evitar a queda de crianças pequenas. Meus avós fizeram isso.

Elena não conseguia mais conter a empolgação.

— Pode ser isso. *Deve* ser isso. Bonnie, lembra, você disse que *sempre* estava escuro lá.

— Sim, e tinha uma espécie de sensação de subterrâneo — Bonnie também estava animada, mas Meredith interrompeu com uma pergunta seca.

— Quantos poços acha que existem em Fell's Church, Matt?

— Talvez dezenas — disse ele. — Mas tampados? Não são muitos. E se está sugerindo que alguém largou Stefan em um deles, então não pode ser qualquer lugar, onde as pessoas vejam. Provavelmente um lugar abandonado...

— E o carro dele foi encontrado nesta estrada — disse Elena.

— A antiga fazenda Francher — disse Matt.

Todos se olharam. A fazenda Francher estava em ruínas e deserta por tanto tempo que ninguém se lembrava mais dela. Ficava no meio do bosque e as árvores a tomaram há quase um século.

— Vamos — acrescentou Matt simplesmente.

Elena pôs a mão no braço dele.

— Você acredita...?

Ele virou o rosto por um momento.

— Não sei no que acreditar — disse ele por fim. — Mas vou assim mesmo.

Eles se dividiram e entraram nos carros, Matt com Bonnie na frente e Meredith seguindo com Elena. O rapaz pegou uma trilha abandonada no bosque até que ela se fechou.

— A partir daqui, vamos a pé — disse ele.

Elena ficou feliz por ter pensado em trazer uma corda. Eles iam precisar dela, se Stefan realmente estivesse no poço Francher. E se não estivesse...

Ela não se permitiu pensar nisso.

Era difícil andar pelo bosque, especialmente no escuro. Os arbustos eram espessos e galhos mortos se estendiam, agarrando-se neles. Mariposas flutuavam em volta do grupo, roçando no rosto de Elena com asas invisíveis.

Por fim, chegaram numa clareira. As fundações da antiga casa podiam ser vistas, pedras de construção agora presas ao chão por mato e trepadeiras. A maior parte da chaminé ainda estava intacta, com buracos onde o concreto a sustentava antigamente, como um monumento em farelos.

— O poço deve ficar em algum lugar ali atrás — disse Matt.

Foi Meredith quem o encontrou e chamou pelos demais. Eles se reuniram em volta e olharam o bloco achatado e quadrado de pedra, quase nivelado no chão.

Matt se abaixou e examinou a terra e o mato em volta dele.

— Foi movido recentemente — disse ele.

Foi quando o coração de Elena começou a martelar com força. Ela podia senti-lo reverberando na garganta e na ponta dos dedos.

— Vamos tirar — decidiu numa voz que mal passava de um sussurro.

A laje de pedra era tão pesada que Matt não conseguiu deslocá-la. Por fim os quatro empurraram, escorando-se no chão, até que, com um gemido, o bloco se moveu uma fração de centímetro. Então havia um pequeno buraco entre a pedra e o poço, e Matt usou um galho morto como alavanca para aumentar o espaço. Em seguida todos empurraram de novo.

Quando havia uma abertura larga o bastante para passar a cabeça e os ombros, Elena se curvou, olhando. Quase tinha medo de ficar esperançosa.

— Stefan?

Os segundos seguintes, pairando sobre a abertura negra, olhando no escuro, ouvindo apenas os ecos de seixos perturbados por seu movimento, foram uma agonia. Depois, inacreditavelmente, houve outro som.

— Quem...? Elena?

— Ah, Stefan! — O alívio a deixou louca. — Sim! Estou aqui, estamos aqui, e vamos tirar você daí. Você está bem? Está ferido? — A única coisa que a impedia de cair era Matt agarrando-a por trás. — Stefan, aguente firme, nós trouxemos uma corda. Diga que está bem.

Houve um som fraco e quase irreconhecível, mas Elena sabia o que era. Uma risada. A voz de Stefan estava esganiçada, mas era inteligível.

— Já estive... melhor — disse ele. — Mas estou... vivo. Quem está com você?

— Eu. Matt — respondeu ele, soltando Elena e se curvando sobre o buraco. Elena, quase delirante em êxtase, notou que ele aparentava um olhar meio confuso. — E Meredith e Bonnie, que vai entortar umas colheres pra gente depois. Vou atirar uma corda para você... Isto é, a não ser que Bonnie possa levitá-lo. — Ainda ajoelhado, ele se virou para a menina.

Ela deu um tapa no alto de sua cabeça.

— Não brinque com isso! Tire-o daí!

— Sim, senhora — disse Matt, um tanto atordoado. — Pegue, Stefan. Vai ter que amarrar na cintura.

— Sim — disse Stefan. Ele não discutiu sobre os dedos entorpecidos de frio ou se eles poderiam ou não içar seu peso. Não havia outro jeito.

Os quinze minutos seguintes foram pavorosos para Elena. Foi necessária a força dos quatro para tirar Stefan do poço, embora a principal contribuição de Bonnie tenha sido dizer, "vamos, *vamos*", sempre que eles paravam para respirar. Mas por fim as mãos de Stefan agarraram a borda do buraco escuro e Matt estendeu o braço para pegá-lo por baixo dos ombros.

Depois Elena estava abraçando Stefan, os braços fechados em seu peito. Ela percebeu que havia algo de muito errado pela imobilidade nada natural dele, pela flacidez de seu corpo. Ele usou o que restava de suas forças para se içar para cima; suas mãos estavam cortadas e sangravam. No entanto o que mais preocupava Elena era o fato de que aquelas mãos não retribuíam seu abraço desesperado.

Quando soltou Stefan o suficiente para olhá-lo, Elena viu que a pele dele estava cerosa e tinha olheiras escuras. A pele era tão fria que a amedrontou.

Ela olhou para os outros com angústia.

A testa de Matt estava franzida de preocupação.

— É melhor levá-lo para a clínica, rápido. Ele precisa de um médico.

— Não! — A voz era fraca e rouca, e vinha da figura flácida que Elena aninhava. Ela sentiu Stefan se recompor, sentiu-o levantar a cabeça. Seus olhos verdes se fixaram nos dela e Elena viu a urgência neles.

— Nada de... médico. — Aqueles olhos arderam nos dela. — Prometa... Elena.

Os olhos da própria Elena arderam e sua visão ficou embaçada.

— Eu prometo — sussurrou ela. Depois sentiu que o que o mantinha de pé, aquela corrente de força de vontade e determinação, entrou em colapso. Stefan desfaleceu nos braços de Elena, inconsciente.

4

Mas ele precisa de um médico. Parece que está morrendo! — disse Bonnie.

— Ele não pode. Não dá para explicar agora. Vamos levá-lo para casa, está bem? Ele está molhado e congelando aqui fora. Depois a gente discute isso.

A tarefa de carregar Stefan pelo bosque foi suficiente para ocupar a mente de todos por algum tempo. Ele continuou inconsciente e, quando finalmente o colocaram no banco traseiro do carro de Matt, todos estavam feridos e exaustos, além de molhados pelo contato com as roupas ensopadas de Stefan. Elena segurou a cabeça dele em seu colo enquanto seguiam de carro para o pensionato. Meredith e Bonnie os seguiram no carro de trás.

— Estou vendo luzes — disse Matt, parando diante do grande prédio vermelho-ferrugem. — Ela deve estar acordada. Mas é provável que a porta esteja trancada.

Elena baixou delicadamente a cabeça de Stefan e saiu do carro, vendo uma das janelas da casa se iluminar quando uma cortina foi empurrada de lado. Depois ela viu uma cabeça e ombros aparecerem na janela, olhando para baixo.

— Sra. Flowers! — chamou ela, acenando. — É Elena Gilbert, Sra. Flowers. Encontramos Stefan e precisamos entrar.

A figura na janela não se mexeu nem deu sinais de reconhecer suas palavras. No entanto, por sua postura, Elena sabia que ela ainda os olhava.

— Sra. Flowers, trouxemos Stefan — gritou ela novamente, gesticulando para o interior iluminado do carro. — Por favor!

— Elena! Já está destrancada! — A voz de Bonnie flutuou para ela da varanda da frente, distraindo Elena da figura que estava na janela. Quando olhou para cima de novo, viu que as cortinas voltaram para o lugar, e depois a luz se apagou.

Era estranho, mas Elena não tinha tempo para tentar entender. Ela e Meredith ajudaram Matt a erguer Stefan e carregá-lo pela escada da frente.

Dentro da casa, estava escuro e silencioso. Elena orientou os outros a subir a escada que ficava de frente para a porta e chegar ao segundo andar. Dali eles entraram em um quarto, e Elena e Bonnie abriram a porta do que parecia ser de um closet. Revelou outra escada, muito escura e estreita.

— Quem deixaria... a porta da frente destrancada... depois de tudo o que aconteceu ultimamente? — Matt grunhiu enquanto eles arrastavam seu fardo inanimado. — Ela deve ser louca.

— Ela *é* louca — disse Bonnie lá de cima, empurrando a porta no alto da escada. — Da última vez em que estivemos aqui, ela disse coisas muito esquisitas... — Sua voz falhou num ofegar.

— Que coisas? — disse Elena. Mas ao chegarem à soleira da porta do quarto de Stefan, ela viu.

Havia se esquecido das condições em que o quarto estava da última vez em que o vira. Malas cheias de roupas estavam viradas ou deitadas de lado, como se tivessem sido atiradas de uma parede a outra por uma mão gigante. O conteúdo estava espalhado pelo chão, junto com artigos da cômoda e das mesas. Os móveis foram revirados e uma janela estava quebrada, deixando entrar o ar frio. Só havia um abajur, jogado num canto, e sombras grotescas assomavam no teto.

— *O que aconteceu?* — disse Matt.

Elena só respondeu depois de acomodar Stefan na cama.

— Não sei bem — disse ela e era mais ou menos verdade. — Mas já estava assim ontem à noite. Matt, pode me ajudar? Ele precisa ficar seco.

— Vou encontrar outra luz — disse Meredith, mas Elena retrucou rapidamente:

— Não, está dando para enxergar. Por que não tenta acender a lareira?

Em uma das malas escancaradas havia um roupão atoalhado de cor escura. Elena o pegou, e ela e Matt começaram a tirar as roupas molhadas e pegajosas de Stefan. Ela tentava arrancar o suéter, mas apenas um vislumbre do pescoço de Stefan foi o suficiente para deixá-la paralisada.

— Matt. Você pode... Pode me passar aquela toalha?

Assim que ele se virou, ela arrancou o suéter pela cabeça de Stefan e rapidamente o enrolou no roupão. Quando Matt voltou e entregou a toalha para Elena, ela a envolveu no pescoço de Stefan como um cachecol. A pulsação de Elena estava a mil, a mente trabalhando furiosamente.

Por isso ele estava tão fraco, tão inerte. Ah, meu Deus. Ela precisava examiná-lo, ver até que ponto ele estava mal. Mas como poderia fazer isso, com Matt e as outras ali?

— Vou chamar um médico — disse Matt numa voz ríspida, fitando os olhos de Stefan. — Ele precisa de ajuda, Elena.

Elena entrou em pânico.

— Matt, não... Por favor. Ele... Ele tem medo de médicos. Não sei o que aconteceria se você trouxesse um aqui.

— De novo, era a verdade, embora não toda a verdade. Elena tinha uma ideia do que poderia ajudar Stefan, mas não podia fazer isso com os outros presentes. Ela se apoiou em Stefan, esfregando as mãos dele entre as próprias, tentando pensar.

O que poderia fazer? Proteger o segredo de Stefan à custa da vida dele? Ou traí-lo para salvá-lo? Será que ele *seria mesmo* salvo se ela contasse a Matt, Bonnie e Meredith? Ela olhou os amigos, tentando imaginar a reação deles se soubessem a verdade sobre Stefan Salvatore.

Isso não era bom. Ela não podia se arriscar. O choque e o horror da descoberta quase provocaram a loucura na própria Elena. Se ela, que amava Stefan, estivera prestes a fugir dele aos gritos, o que os três fariam? E depois havia o assassinato do Sr. Tanner. Se eles soubessem o que Stefan era, seriam capazes de acreditar na inocência dele? Ou, no fundo do coração, eles sempre suspeitariam de Stefan?

Elena fechou os olhos. Era perigoso demais. Meredith, Bonnie e Matt eram seus amigos, mas ela não podia partilhar isso com eles. Em todo o mundo, não havia ninguém a quem ela pudesse confiar este segredo. Teria de guardar para si mesma.

Ela endireitou o corpo e olhou para Matt.

— Ele tem medo de médicos, mas uma enfermeira não seria problema. — Ela se virou para Bonnie e Meredith, ajoelhadas diante da lareira. — Bonnie, e a sua irmã?

— Mary? — Bonnie olhou o relógio. — Ela pegou o último turno na clínica esta semana, mas agora deve estar em casa. Só que...

— Então é isso. Matt, vá com Bonnie e peça a Mary para vir aqui olhar Stefan. Se ela achar que ele precisa de um médico, não vou mais discutir.

Matt hesitou, depois respirou pesadamente.

— Tudo bem. Ainda acho que você está errada, mas... Vamos, Bonnie. Vamos infringir algumas leis de trânsito.

Enquanto eles iam para a porta, Meredith continuou perto da lareira, fitando Elena com os olhos escuros e fixos.

Elena encarou os olhos dela.

— Meredith... Acho que todos vocês devem ir.

— Você acha? — Seus olhos escuros ainda fitavam os dela sem hesitar, como se tentassem penetrar e ler sua mente. Mas Meredith não fez mais perguntas. Depois de um instante ela assentiu e seguiu Matt e Bonnie sem dizer nada.

Quando Elena ouviu a porta ao pé da escada se fechar, endireitou apressadamente o abajur virado ao lado da cama e o ligou na tomada. Agora, pelo menos, podia avaliar os ferimentos de Stefan.

A cor dele parecia pior do que antes; estava literalmente quase tão branco quanto os lençóis em que se deitava. Os lábios também estavam pálidos e Elena de repente pensou em Thomas Fell, o fundador de Fell's Church. Ou, por outra, na estátua de Thomas Fell, deitada ao lado da esposa na tampa de pedra de seu túmulo. Stefan tinha a cor daquele mármore.

Os cortes e lacerações nas mãos exibiam um roxo lívido, mas não sangravam mais. Ela virou gentilmente a cabeça de Stefan para verificar seu pescoço.

E lá estava. Ela tocou a lateral do próprio pescoço automaticamente, como que para verificar a semelhança. Havia rasgões fundos e violentos em carne viva. Parecia que ele havia sido atacado por um animal que tentara dilacerar sua garganta.

Uma raiva furiosa ardeu em Elena de novo. E com ela, o ódio. Ela percebeu que apesar de seu asco e fúria, antes ela não odiava realmente Damon. Não de verdade. Mas agora... Agora, ela *sentia ódio*. Ela o abominava com uma intensidade que nunca sentira por ninguém na vida. Ela queria feri-lo para fazê-lo pagar. Se tivesse uma estaca de madeira naquele momento, ela a teria cravado no coração de Damon sem lamentar nada.

Mas naquele momento ela precisava pensar em Stefan. Ele estava tão terrivelmente petrificado. Isso era o mais difícil de suportar, a falta de propósito ou resistência de seu corpo, o vazio. Era isso. Era como se ele tivesse sido esvaziado naquela forma e a ela só restasse um vaso oco.

— Stefan! — De nada adiantou sacudi-lo. Com uma das mãos no meio de seu peito frio, ela tentou detectar um batimento cardíaco. Se havia um, era fraco demais para ser sentido.

Mantenha a calma, Elena, disse ela a si mesma, afastando a parte de sua mente que queria entrar em pânico. A parte que dizia: "E se ele estiver morto? E se estiver realmente morto, e nada do que você fizer puder salvá-lo?"

Ao observar o quarto, ela viu a janela quebrada. Cacos de vidro espalhados no chão. Ela se curvou e pegou um, observando como cintilava na luz da lareira. Aquilo era lindo, como um gume de navalha, Elena pensou. Depois, deliberadamente, trincando os dentes, ela cortou o dedo com o caco.

A dor a fez arfar. Depois de um instante, o sangue começou a brotar do corte, pingando de seu dedo como cera de uma vela. Rapidamente, ela se ajoelhou junto a Stefan e colocou o dedo nos lábios dele.

Com a outra mão, Elena segurou a mão imóvel dele, sentindo a dureza do anel de prata que ele usava. Petrificada como uma estátua, Elena se ajoelhou ali e ficou esperando.

Ela quase não sentiu a primeira leve palpitação, ele estava reagindo. Os olhos dela estavam fixos no rosto dele e Elena enxergou o erguer mínimo do peito de Stefan pela visão periférica. Mas em seguida os lábios dele sob seu dedo tremeram e se separaram um pouco, e ele engoliu por reflexo.

— Isso — sussurrou Elena. — Por favor, Stefan.

As pálpebras dele tremularam e com uma alegria crescente ela sentiu os dedos de Stefan retribuírem a pressão em sua mão. Ele engoliu novamente.

— Isso. — Ela esperou até que os olhos de Stefan piscassem e lentamente se abrissem antes de se sentar. Depois virou para baixo a gola alta do suéter com uma das mãos, tirando-o do caminho.

Aqueles olhos verdes estavam confusos e pesados, mas com uma obstinação que ela nunca vira.

— Não — disse Stefan, a voz um sussurro entrecortado.

— Tem que ser, Stefan. Os outros vão voltar e trazer uma enfermeira. Precisei concordar com isso. E se você não estiver bem o bastante para convencê-la de que não precisa ir para o hospital... — Ela deixou a frase inacabada. Ela mesma não sabia o que um médico ou técnico de laboratório encontraria examinado Stefan. Mas Elena tinha certeza de que ele sabia, e que isso o deixaria apavorado.

Mas Stefan só pareceu mais obstinado, virando o rosto para longe dela.

— Não posso — sussurrou ele. — É perigoso demais. Já tomei... demais... ontem à noite.

Foi só ontem à noite? Parecia um ano atrás.

— Vai me matar? — perguntou ela. — Stefan, responda! Vai me matar?

— Não... — A voz dele era rabugenta. — Mas...

— Então temos de fazer isso. Não discuta comigo! — Curvando-se sobre ele, segurando sua mão, Elena podia sentir a necessidade dominadora de Stefan. Ela ficou admirada por ele tentar resistir. Era como um homem faminto parado diante de um banquete, incapaz de tirar os olhos dos pratos fumegantes, mas se recusando a comer.

— Não — disse Stefan de novo, e Elena sentiu uma onda de frustração. Stefan era a única pessoa que conhecia que era tão teimosa quanto ela.

— Sim. E se não cooperar, vou cortar outra coisa, como meu pulso. — Ela estava apertando o dedo no lençol para estancar o sangramento; agora ajudava Stefan a se erguer.

As pupilas de Stefan se dilataram e seus lábios se separaram.

— Demais... Já — murmurou ele, mas seu olhar continuou fixo no dedo de Elena, na gota de sangue brilhante na ponta. — E eu não posso... controlar...

— Está tudo bem — sussurrou Elena, levando o dedo aos lábios dele de novo e sentindo-os se abrirem para pegá-lo. Depois ela se curvou sobre ele e fechou os olhos.

A boca de Stefan estava fria e seca ao tocar seu pescoço. A mão segurava sua nuca enquanto os lábios procuravam as duas perfurações pequenas que já estavam ali. Elena esforçou-se para não se retrair com a breve pontada de dor. Depois sorriu.

Antes, ela sentiu a necessidade agonizante de Stefan, seu impulso de fome. Agora, pelo vínculo que partilhavam, ela só sentiu alegria e satisfação feroz. A satisfação profunda da fome sendo saciada aos poucos.

Seu próprio prazer vinha de doar, de saber que estava sustentando Stefan com a própria vida. Ela podia sentir a força fluindo para dentro dele.

Ela sentiu a necessidade se atenuar. Ainda assim, não tinha passado, e ela não conseguiu entender quando Stefan tentou afastá-la.

— Já basta — disse ele com a voz rouca, forçando os ombros dela para cima. Elena abriu os olhos, o prazer onírico interrompido. Os olhos de Stefan eram verdes como folhas de mandrágora e em seu rosto ela viu a fome feroz do predador.

— Não é o suficiente. Você ainda está fraco...

— É o bastante para *você*. — Ele a empurrou de novo e ela viu algo semelhante ao desespero cintilar naqueles olhos verdes. — Elena, se eu tomar mais, você começará a se transformar. E se você não se afastar, se não se afastar de mim *agora*...

Ela foi para o pé da cama. Ficou observando enquanto Stefan se sentava e ajeitava o roupão escuro. Na luz do abajur, Elena percebeu que ele tinha recuperado parte da cor, um leve rubor coloria a tez pálida. O cabelo de Stefan começava a secar em um mar agitado de ondas escuras.

— Senti sua falta — disse ela suavemente. O alívio pulsou em seu corpo de repente, uma dor que era quase tão ruim quanto o medo e a tensão que sentira. Stefan estava vivo; falava com ela. Tudo ia ficar bem, afinal.

— Elena... — Seus olhos se encontraram e ela foi tomada pelo fogo verde. Inconscientemente, aproximou-se dele, depois parou quando ele riu alto.

— Nunca vi você assim — disse ele, e ela se olhou. Seus sapatos e jeans estavam cheios de lama vermelha, que também se espalhava generosamente pelo restante do seu corpo. O casaco estava rasgado revelando o enchimento. Elena não tinha dúvidas de que seu rosto estava sujo, e ela *sabia* que o cabelo estava embaraçado e desgrenhado. Elena Gilbert, o imaculado estereótipo fashion da Robert E. Lee, estava um horror.

— Eu gosto — disse Stefan, e desta vez ela riu com ele.

Eles ainda estavam rindo quando a porta se abriu. Elena enrijeceu, alerta, virando a gola do suéter, olhando o quarto em busca de evidências que pudessem traí-los. Stefan sentou-se mais reto e lambeu os lábios.

— Ele está melhor! — cantarolou Bonnie ao entrar no quarto e ver Stefan. Matt e Meredith estavam bem atrás dela, e seus rostos se iluminaram de surpresa e prazer. A quarta pessoa que entrou era só um pouco mais velha do que Bonnie, mas tinha um ar de autoridade que escondia sua juventude. Mary McCullough foi direto ao paciente para verificar seu pulso.

— Então é você que tem medo de médicos — disse ela.

Stefan pareceu desconcertado por um momento; depois, recuperou-se.

— É uma espécie de fobia que vem da infância — disse ele, parecendo constrangido. Ele olhou de lado para Elena, que sorriu nervosa e assentiu de forma contida. — De qualquer forma, agora não preciso de nenhum, como pode ver.

— Por que não me deixa avaliar isso? Sua pulsação está boa. Na realidade, está surpreendentemente baixa, mesmo para um atleta. Não acho que esteja hipotérmico, mas você ainda está gelado. Vamos checar a temperatura.

— Não, não acho que isso seja necessário. — A voz de Stefan era baixa e calma. Elena já o ouvira usar essa voz e sabia o que ele tentava fazer. Mas Mary não deu a mínima.

— Abra, por favor.

— Pode deixar que eu faço isso — disse Elena rapidamente, estendendo a mão para pegar o termômetro de Mary. De algum modo, durante o gesto, o pequeno cilindro de vidro escorregou de sua mão. Caiu no chão de madeira e se espatifou em vários pedaços. — Ah, desculpe!

— Não tem problema — disse Stefan. — Estou me sentindo muito melhor agora e vou ficar mais quente com o tempo.

Mary olhou a sujeira no chão, depois olhou o quarto, observando a confusão ao redor.

— Muito bem — disse ela, virando-se com as mãos nos quadris. — O que houve por aqui?

Stefan nem piscou.

— Nada demais. A Sra. Flowers é uma dona de casa terrível — disse ele, olhando-a nos olhos.

Elena teve vontade de rir e viu essa vontade em Mary também. A menina mais velha fez uma careta e cruzou os braços.

— Acho que é inútil esperar por uma resposta objetiva — disse ela. — E está claro que você não está perigosamente doente. Não posso *obrigá-lo* a ir para a clínica. Mas sugiro enfaticamente que faça um checkup amanhã.

— Obrigado — disse Stefan, o que, Elena percebeu, não era o mesmo que concordar.

— Elena, *você* parece precisar de um médico — disse Bonnie. — Está branca feito um fantasma.

— Só estou cansada — disse Elena. — Foi um longo dia.

— Meu conselho é que vá para casa e durma... E fique por lá — disse Mary. — Você não está anêmica, está?

Elena resistiu ao impulso de levar a mão ao pescoço. Ela estava assim tão pálida?

— Não, só estou cansada — repetiu ela. — Podemos ir para casa agora, se Stefan estiver bem.

Ele assentiu, tranquilizando-a, seus olhos revelando uma mensagem só para ela.

— Podem nos dar um minuto, por favor? — disse ele a Mary e aos outros, e eles voltaram à escada.

— Tchau. Se cuida — disse Elena em voz alta ao abraçá-lo. Então sussurrou: — Por que não usou os Poderes em Mary?

— Eu usei — disse ele de mau humor ao ouvido dela. — Ou pelo menos tentei. Ainda devo estar fraco. Não se preocupe; vai passar.

— Claro que vai — disse Elena, mas seu estômago se revirou. — Tem certeza de que pode ficar sozinho? E se...

— Vou ficar bem. Você é que não deve ficar sozinha. — A voz de Stefan era suave mas urgente. — Elena, eu não tive a chance de avisá-la. Você tinha razão sobre Damon estar em Fell's Church.

— Eu sei. *Ele* fez isso com você, não foi? — Elena não mencionou que estivera procurando por ele.

— Eu... não me lembro. Mas ele é perigoso. Fique com Bonnie e Meredith esta noite, Elena. Não quero que fique sozinha. E fique atenta para não convidar nenhum estranho para a sua casa.

— Vamos direto para a cama — prometeu Elena, sorrindo para ele. — Não vamos convidar ninguém a entrar.

— Faça isso. — Não havia impertinência na voz dele e ela assentiu devagar.

— Eu entendo, Stefan. Vamos ter cuidado.

— Ótimo. — Eles se beijaram, um mero roçar de lábios, mas as mãos unidas se separaram com relutância. — Diga aos outros que agradeço — disse ele.

— Eu direi.

Os cinco se reagruparam do lado de fora do pensionato, Matt oferecendo-se para levar Mary e Bonnie para casa e Meredith indo atrás com Elena. Mary ainda estava claramente desconfiada dos acontecimentos da noite e Elena não podia culpá-la. Ela também não conseguia pensar. Estava cansada demais.

— Ele disse para agradecer a todos vocês — lembrou-se de dizer, depois de Matt ter saído.

— Não há... de quê — disse Bonnie, cuspindo as palavras com um bocejo enorme enquanto Meredith abria a porta do carro para ela.

Meredith não disse nada. Tinha ficado em silêncio desde que deixou Elena a sós com Stefan.

Bonnie riu de repente.

— Todos nós nos esquecemos de uma coisa — disse ela.
— A profecia.

— Que profecia?

— Sobre a ponte. Aquela sobre a qual vocês disseram que eu falei. Bom, você foi até a ponte e a Morte não estava esperando, afinal. Talvez vocês tenham entendido mal.

— Não — disse Meredith. — Ouvimos tudo muito bem.

— Bom, então talvez seja outra ponte. Ou... Hummm...
— Bonnie se aninhou no casaco, fechando os olhos, e não se incomodou em terminar.

Mas a mente de Elena completou a frase por ela. *Ou em outra hora.*

Uma coruja piou do lado de fora enquanto Meredith dava a partida no carro.

5

Sábado, 2 de novembro

uerido Diário,
Nesta manhã acordei e me senti muito estranha. Não sei nem como descrever. Por um lado, eu estava tão fraca que meus músculos não me sustentaram quando tentei me levantar. Mas por outro lado, eu me senti... satisfeita. Tão à vontade, tão relaxada. Como se eu estivesse flutuando em uma cama banhada em luz dourada. Nem me importaria de nunca mais me mexer na vida.

Depois me lembrei de Stefan e tentei me levantar, mas a tia Judith me colocou de volta na cama. Disse que Bonnie e Meredith tinham saído há horas e que eu dormia tão profundamente que elas não conseguiram me acordar. Ela disse que eu precisava descansar.

Então aqui estou eu. Tia Judith trouxe a TV para o meu quarto, mas nem ligo para o que está passando. Prefiro ficar deitada aqui e escrever, ou só ficar deitada.

Eu estava esperando que Stefan telefonasse. Ele me disse que ligaria. Ou talvez não tenha dito. Não consigo me lembrar. Quando ele ligar, vou ter que

Domingo, 3 de novembro, 22h30

Acabo de reler o que escrevi ontem e fiquei chocada. O que deu em mim? Parei no meio de uma frase e agora nem sei o que eu pretendia dizer. E nem expliquei sobre meu novo diário, nem nada. Eu devia estar totalmente avoada.

Mas então, este é o começo oficial do meu novo diário. Comprei este caderno em branco na loja de conveniência. Não é tão bonito quanto o outro, mas vai servir. Perdi toda e qualquer esperança de reaver meu antigo diário. Quem o roubou não vai trazê-lo de volta. Mas quando penso que estão lendo todos os meus pensamentos íntimos e meus sentimentos por Stefan, tenho vontade de matar. Ao mesmo tempo, fico morta de humilhação.

Não tenho vergonha do que sinto por Stefan. Só que é particular. E existem coisas ali, sobre como é quando nos beijamos, quando ele me abraça, que eu sei que ele não ia querer que ninguém lesse.

É claro que não há nada sobre o segredo de Stefan. Eu ainda não tinha descoberto qualquer coisa. Só descobri quando o entendi e ficamos juntos, juntos de verdade, afinal. Agora fazemos parte um do outro. Sinto como se estivesse esperando por ele a minha vida toda.

Talvez você pense que sou terrível por amá-lo, considerando o que ele é. Ele pode ser violento, e eu sei que há coisas em seu passado de que ele se envergonha. Mas ele nunca seria violento comigo, e o passado ficou para trás. Stefan traz muita culpa e mágoa dentro de si. Quero curá-lo.

Não sei o que vai acontecer agora; só estou feliz por ele estar seguro. Fui ao pensionato hoje e descobri que a polícia esteve lá ontem. Stefan ainda estava fraco e não pôde usar os Poderes para se livrar deles, mas não o acusaram de nada. Só fizeram perguntas. Stefan disse que eles foram amistosos, o que me deixa desconfiada. Na verdade, todas as perguntas se resumem a: onde você esteve na noite em que o velho foi atacado debaixo da ponte, na noite em que Vickie Bennett foi atacada na igreja em ruínas e na noite em que o Sr. Tanner foi assassinado na escola?

Eles não tinham qualquer prova contra ele. Os crimes começaram logo depois de ele chegar a Fell's Church, mas e daí? Isso não prova nada. Então ele discutiu com o Sr. Tanner naquela noite. De novo, e daí? Todo mundo discutiu com o Sr. Tanner. Então ele desapareceu depois que o corpo do Sr. Tanner foi encontrado. Ele voltou agora e está muito claro que ele próprio foi atacado, pela mesma pessoa que cometeu os outros crimes. Mary contou à polícia sobre o estado em que o encontrou. E se eles nos perguntarem, Matt, Bonnie, Meredith e eu também podemos testemunhar como o encontramos. Não há nada contra ele.

Stefan e eu conversamos sobre isso e sobre outros assuntos. Foi tão bom estar ao seu lado de novo, mesmo que ele parecesse tão pálido e cansado. Ele ainda não se lembra de como terminou a noite de quinta, mas a maior parte disso é como eu suspeitei. Stefan encontrou Damon na quinta à noite depois de me levar para casa. Eles discutiram. Stefan terminou semimorto num poço. Não é preciso ser um gênio para deduzir o que aconteceu entre os dois eventos.

Ainda não contei a ele que fui procurar por Damon no cemitério na sexta de manhã. Acho que é melhor fazer isso amanhã. Sei que ele vai ficar aborrecido, principalmente quando souber o que Damon me disse.

Bom, é isso. Estou cansada. Este diário vai ficar bem escondido, por motivos óbvios.

Elena parou e olhou a última frase na página. Depois acrescentou:

P.S.: Quem será nosso novo professor de história europeia?

Ela enfiou o diário sob o colchão e apagou a luz.

Elena andava pelo corredor num vácuo curioso. Na escola, em geral ela era recebida com saudações de todos os lados; era um "oi, Elena" depois de outro "oi, Elena", sempre que ela passava. Mas hoje os olhos se desviavam furtivamente quando ela se aproximava, ou, de repente, as pessoas ficavam muito ocupadas fazendo algo que exigia que virassem as costas. Foi assim o dia todo.

Ela parou na porta da sala de história europeia. Já havia vários alunos sentados e, próximo ao quadro-negro, havia um estranho.

Ele mesmo quase parecia um aluno. Tinha cabelo cor de areia, meio comprido, e corpo de atleta. No quadro, escrevera, "Alaric K. Saltzman". Quando ele se virou, Elena viu que um sorriso juvenil dominava o rosto dele.

E continuou sorrindo enquanto Elena se sentava e outros alunos entravam. Stefan estava ali e seus olhos encontraram os de Elena enquanto ele se sentava ao lado dela, mas eles não se falaram. Ninguém falava nada. A sala estava mergulhada num silêncio mortal.

Bonnie se sentou do outro lado de Elena. Matt estava a algumas carteiras de distância, mas olhava direto para frente.

As últimas duas pessoas a entrar foram Caroline Forbes e Tyler Smallwood. Eles estavam juntos e Elena não gostou da expressão no rosto de Caroline. Ela conhecia muito bem aquele sorriso de gato satisfeito e os olhos verdes semicerrados. As feições bonitas e carnudas de Tyler brilhavam de satisfação. A descoloração sob os olhos, provocada pelo punho de Stefan, quase sumira.

— Muito bem, para começar, por que não colocamos as mesas em círculo?

A atenção de Elena se voltou de repente ao estranho na frente da sala. Ele ainda sorria.

— Vamos, formem uma roda. Assim todos podemos olhar o rosto um do outro enquanto falamos.

Em silêncio, os alunos obedeceram. O estranho não se sentou à mesa do Sr. Tanner; em vez disso, puxou uma cadeira para a roda e a inclinou para trás.

— Agora — disse ele —, sei que devem estar muito curiosos sobre mim. Meu nome está no quadro: Alaric K. Saltzman. Mas quero que me chamem de Alaric. Vou contar um pouco mais sobre mim depois, mas primeiro quero dar uma oportunidade de vocês falarem. Hoje deve ser um dia difícil para a maioria de vocês. Alguém de quem gostavam partiu, e isso deve doer. Quero que tenham a oportunidade de se abrirem e partilharem esses sentimentos comigo e com seus colegas. Quero que tentem entrar em contato com a dor que sentem. Depois podemos começar a basear nossa relação na confiança. Agora, quem gostaria de ser o primeiro?

Eles o encararam. Ninguém moveu uma pálpebra.

— Bom, vejamos... Que tal você? — Ainda sorrindo, ele gesticulou para uma menina bonita de cabelos claros, estimulando-a. — Diga-nos seu nome e como se sente sobre o que aconteceu.

Aturdida, a menina se levantou.

— Meu nome é Sue Carson e, er... — Ela respirou fundo e continuou com tenacidade. — E estou com medo. Porque quem quer que seja esse maníaco, ainda está solto. E da próxima vez pode ser comigo. — Ela se sentou.

— Obrigado, Sue. Sei que muitos de seus colegas partilham de suas preocupações. Agora, entendo que alguns de vocês estavam presentes quando a tragédia aconteceu, não foi?

Carteiras rangeram enquanto os alunos se remexiam, inquietos. Mas Tyler Smallwood se levantou, os lábios repuxados para trás dos dentes fortes num sorriso.

— *A maioria* de nós estava lá — disse ele, e seus olhos dispararam para Stefan. Elena podia ver os outros seguindo o olhar dele. — Cheguei logo depois de Bonnie encontrar o corpo. E o que sinto é preocupação pela comunidade. Há um assassino perigoso nas ruas e até agora ninguém fez nada para impedi-lo. E... — Ele fez uma pausa. Elena não tinha certeza de como, mas sentiu Caroline sinalizando para ele parar. Caroline atirou o cabelo ruivo brilhante para trás e cruzou as pernas novamente enquanto Tyler voltava a se sentar.

— Muito bem, obrigado. Então a maioria de vocês estava presente. Isso sem dúvida é difícil. Podemos ouvir a pessoa que encontrou o corpo? Bonnie está aqui? — Ele olhou em volta.

Bonnie levantou a mão devagar, depois ficou de pé.

— Eu *acho* que encontrei o corpo — disse ela. — Quer dizer, fui a primeira pessoa a saber que ele estava morto, e não só fingindo.

Alaric Saltzman pareceu meio sobressaltado.

— Não só fingindo? Ele costumava se fingir de morto? — Houve risadinhas e ele abriu o sorriso juvenil, de novo. Elena se virou e olhou para Stefan, que tinha o cenho franzido.

— Não... Não — disse Bonnie. — Veja bem, ele foi uma vítima de sacrifício. Na Casa Mal-Assombrada. Então ele estava coberto de sangue mesmo, só que era sangue falso. E isso em parte foi culpa minha, porque ele não queria usar o sangue e eu disse que ele tinha de fazer. Ele devia ser o Cadáver Sangrento. Mas ele ficava dizendo que era sujeira demais, e só quando Stefan discutiu com ele... — ela parou. — Quer dizer, nós conversamos com ele, que por fim concordou, e depois a Casa Mal-Assombrada começou. Pouco tempo depois percebi que ele não estava se sentando e assustando as crianças como devia fazer, e me aproximei e perguntei a ele qual era o problema. E ele não respondeu. Ele só... Só ficou encarando o teto. E aí eu toquei nele e ele... Foi horrível. A cabeça dele simplesmente meio que *tombou*. — A voz de Bonnie hesitou e parou. Ela engoliu em seco.

Elena estava de pé, e também Stefan, Matt e alguns outros. Elena estendeu a mão para Bonnie.

— Bonnie, está tudo bem. Bonnie, não. Está tudo bem.

— E tinha sangue nas minhas mãos. Tinha sangue em toda parte, tanto sangue... — Ela fungava histericamente.

— Muito bem, tempo — disse Alaric Saltzman. — Desculpe; eu não pretendia perturbá-la tanto. Mas acho que você precisa trabalhar esses sentimentos futuramente. Está claro que essa foi uma experiência arrasadora.

Ele se levantou e andou até o meio da roda, as mãos abrindo-se e se fechando nervosamente. Bonnie ainda fungava um pouco.

— Eu sei — disse ele, o sorriso juvenil voltando com toda força. — Prefiro que a relação professor-aluno tenha um bom começo, longe de todo esse clima. E se todos forem à minha casa esta noite e nós conversarmos informalmente? Talvez para nos conhecermos melhor, e falar sobre o que aconteceu. Podem até levar amigos, se quiserem. Que tal?

Houve mais ou menos 30 segundos de olhares perplexos. Depois alguém disse:

— Na sua casa?

— Sim... Ah, me esqueci. Que idiotice a minha. Estou morando na casa dos Ramsey, na Magnolia Avenue. — Ele escreveu o endereço no quadro. — Os Ramsey são amigos meus e me emprestaram a casa enquanto estão de férias. Sou de Charlottesville, e o diretor de vocês me ligou na sexta-feira, perguntando se eu podia assumir este cargo. E aproveitei a oportunidade. É meu primeiro emprego como professor.

— Ah, isso explica tudo — disse Elena à meia-voz.

— Explica? — disse Stefan.

— E então, o que vocês acham? Estamos combinados? — Alaric Saltzman olhou para eles.

Ninguém teve coragem de recusar. Houve uns "sins" e "claros" esparsos pela sala.

— Ótimo, então está combinado. Vou providenciar os refrigerantes, e todos vamos nos conhecer. Ah, a propósito... — Ele abriu a pauta da classe e passou os olhos. — Nesta turma, a participação compõe metade da nota final. — Ele olhou para cima e sorriu. — Agora vocês podem ir.

— Que coragem a dele — murmurou alguém enquanto Elena saía pela porta. Bonnie estava atrás dela, mas a voz de Alaric Saltzman a chamou.

— Os alunos que se abriram conosco podem, por favor, ficar por mais um minuto?

Stefan teve de ir embora também.

— É melhor ver como ficou o treino de futebol — explicou.

— Deve ter sido cancelado, mas preciso ter certeza.

Elena ficou preocupada.

— Ainda que não tenha sido cancelado, acha que está se sentindo bem para isso?

— Vou ficar bem — disse ele, evasivo. Mas ela percebeu que o rosto dele ainda estava abatido e seus movimentos indicavam que sentia dor. — Encontro você no seu armário — completou.

Ela assentiu. Quando chegou ao armário, viu que Caroline estava por perto, falando com outras duas meninas. Três pares de olhos seguiram cada movimento de Elena enquanto ela guardava os livros, mas quando Elena levantou a cabeça, duas delas de repente viraram o rosto. Só Caroline continuou encarando, a cabeça meio tombada de lado, cochichando algo para as outras.

Para Elena, já bastava. Batendo a porta do armário, foi direto até elas.

— Oi, Becky; oi, Sheilla — disse ela. Depois, com uma ênfase exagerada: — Oi, Caroline.

Becky e Sheilla murmuraram um "oi" e acrescentam algo sobre ter de ir embora. Elena nem se virou para vê-las sair de fininho. Continuou encarando Caroline.

— O que é que tá pegando? — perguntou ela.

— Pegando? — Caroline obviamente estava gostando, tentando prolongar aquilo pelo maior tempo possível. — Pegando com quem?

— Com você, Caroline. Com todo mundo. Não finja que não está aprontando alguma, porque eu conheço você. As pessoas têm me evitado o dia todo como se eu tivesse uma doença, e você parece ter ganhado na loteria. O que você fez?

A expressão inquisitiva e inocente de Caroline sumiu e ela abriu um sorriso felino.

— Eu já havia dito, quando as aulas começaram, que as coisas seriam diferentes este ano, Elena — disse ela. — Avisei que sua época no trono podia estar acabando. Mas não é culpa *minha*. O que está acontecendo é simples seleção natural. A lei da selva.

— E o que *está* acontecendo?

— Bom, digamos que sair com um assassino pode representar um obstáculo em sua vida social.

O peito de Elena enrijeceu como se Caroline a tivesse golpeado. Por um momento, o desejo de bater em Caroline foi quase irresistível. Depois, com o sangue latejando nos ouvidos, ela disse entredentes:

— Isso não é verdade. Stefan não fez nada. A polícia o interrogou e ele foi liberado.

Caroline deu de ombros. Seu sorriso agora era condescendente.

— Elena, conheço você desde o jardim de infância — disse ela — Então vou te dar um conselho, pelos velhos tempos: deixe Stefan. Se fizer isso agora, pode evitar ser uma completa leprosa social. Caso contrário, pode muito bem comprar um sininho para tocar na rua.

Elena ficou refém da raiva enquanto Caroline se virava e se afastava, o cabelo ruivo movendo-se como líquido sob as luzes. Depois Elena recuperou a fala.

— Caroline. — A menina se virou. — Vai à festa na casa dos Ramsey hoje à noite?

— Acho que sim. Por quê?

— Porque eu estarei lá. Com Stefan. Vejo você na selva. — Desta vez foi Elena quem se virou.

A dignidade de sua saída foi um pouco arruinada quando ela viu uma figura magra e obscurecida na outra extremidade do corredor. Travou por um instante mas, ao chegar mais perto, ela reconheceu Stefan.

Ela sabia que o sorriso que abria era forçado e ele olhou para os armários enquanto os dois andavam lado a lado, saindo da escola.

— Então o treino de futebol foi cancelado? — disse ela. Ele assentiu.

— O que foi aquilo tudo? — disse ele em voz baixa.

— Nada. Perguntei a Caroline se ela ia à festa hoje à noite. — Elena tombou a cabeça para trás e encarou o céu cinza e sombrio.

— E era sobre isso que vocês conversavam?

Ela se lembrou do que ele havia falado em seu quarto. Ele podia ver melhor do que um humano, e ouvir melhor também. Bem o bastante para entender palavras ditas a 12 metros no corredor?

— Sim — disse ela em desafio, ainda examinando as nuvens.

— E foi isso que a deixou com tanta raiva?

— Sim — disse ela de novo, no mesmo tom.

Elena podia sentir os olhos dele fitando os dela.

— Elena, isso não é verdade.

— Bom, se pode ler minha mente, não precisa me fazer perguntas, não é?

Eles agora estavam de frente um para o outro. Stefan estava tenso, a boca numa linha rígida.

— Sabe que eu não faria isso. Mas pensei que fosse você a mais apegada à honestidade nos relacionamentos.

— Tudo bem. Caroline estava daquele jeito cretino de sempre e eu acabei com ela. E daí? Por que você se importa?

— Porque — disse Stefan com simplicidade, mas brutalmente — ela pode ter razão. Não sobre o crime, mas sobre você. Sobre você e eu. Eu devia ter percebido que isso aconteceria. Não é só ela, é? Percebi hostilidade e medo o dia todo, mas estou cansado demais para tentar analisar isso. Eles acham que eu sou o assassino e estão descarregando em você.

— O que eles acham não importa! Todos estão errados e um dia vão se dar conta disso. Depois tudo vai ficar como sempre foi.

Um sorriso tristonho puxou os cantos da boca de Stefan.

— Você acredita mesmo nisso, não é? — Ele desviou os olhos e seu rosto endureceu. — E se não perceberem? E se tudo só piorar?

— Do que está falando?

— Pode ser melhor... — Stefan respirou fundo e continuou, com cuidado. — Pode ser melhor se não nos virmos por algum tempo. Se pensarem que não estamos juntos, vão deixá-la em paz.

Ela o encarou.

— E acha que pode fazer isso? Não me ver, nem falar comigo por sei lá quanto tempo?

— Se for necessário... Sim. Podemos fingir que terminamos. — Seu maxilar estava rígido.

Elena encarou Stefan por mais um tempo. Depois o contornou e se aproximou, tão perto que eles estavam quase se tocando. Ele teve de olhá-la de cima, seus olhos a poucos centímetros dos dela.

— Só há uma maneira — disse ela — de eu anunciar ao resto da escola que terminamos. E é se você me disser que não me ama e não quer me ver. Diga isso, Stefan, diga agora. Diga que não quer mais ficar comigo.

Ele parou de respirar. Olhou-a de cima, aqueles olhos verdes estriados como de um gato em tons de esmeralda, malaquita e azevinho.

— Diga — ela implorou. — Diga que pode ficar sem mim, Stefan. Diga...

Ela não terminou a frase. Foi interrompida pelos lábios de Stefan, ansiosos por calá-la.

6

Stefan estava sentado na sala de estar dos Gilbert, concordando educadamente com o que a tia Judith dizia. A mulher mais velha não estava à vontade com a presença dele; e não era preciso ser telepata para saber disso. Mas ela tentava, e Stefan também. Ele queria que Elena fosse feliz.

Elena. Mesmo quando não olhava para ela, Stefan estava ciente dela mais do que de qualquer outra coisa no aposento. Sua presença viva refletia na pele dele como a luz do sol nas pálpebras fechadas. Quando ele realmente se permitiu virar para olhá-la, foi um doce choque em todos os seus sentidos.

Ele a amava muito. Nunca mais a viu como Katherine; quase tinha se esquecido do quanto ela parecia com a garota morta. De qualquer forma, havia tantas diferenças. Elena tinha o mesmo cabelo dourado claro e pele leitosa, as mesmas feições delicadas de Katherine, mas a semelhança terminava aí. Os olhos de Elena agora pareciam violeta ao fogo da lareira mas normalmente tinham um tom azul-escuro como de lápis-lazúli e nada tímidos nem infantis como os de Katherine. Ao contrário, eram janelas para sua alma, que brilhava como uma chama ansiosa por trás daquele olhar. Elena era Elena, e sua imagem substituíra o fantasma gentil de Katherine no coração de Stefan.

Mas a força de Elena tornava perigoso o amor dos dois. Ele não conseguira resistir a ela na última semana, quando ela lhe ofereceu seu sangue. É claro que ele podia ter morrido sem ela, mas tudo tinha ido longe demais para a segurança de Elena. Pela centésima vez, os olhos de Stefan percorreram o rosto dela, procurando por sinais visíveis de mudança. A pele sedosa não estava um pouco mais clara? A expressão dela não estava um tanto mais distante?

Eles teriam de tomar cuidado a partir de agora. *Ele* teria de ser mais cauteloso. Certificar-se de se alimentar com frequência, satisfazer-se com animais, para não ficar tentado. Jamais deixar que a necessidade ficasse tão urgente. Agora que pensava nisso, ele estava com fome. A dor seca, o ardor, espalhava-se pelo maxilar superior, sussurrando pelas veias e capilares. Ele devia estar no bosque — os sentidos em alerta para perceber o mais leve estalar de galhos secos, os músculos prontos para a caçada — e não aqui, perto de uma lareira, olhando a teia de veias azuis claras no pescoço de Elena.

Aquele pescoço fino se virou enquanto Elena olhava para ele.

— Quer ir àquela festa hoje à noite? Podemos pegar o carro da tia Judith — disse ela.

— Mas deve jantar aqui primeiro — disse tia Judith apressadamente.

— Podemos comprar algo no caminho. — Elena quis dizer comprar algo para ela, pensou Stefan. Ele mesmo podia mastigar e engolir comida comum, se tivesse de agir assim, mas já não caía bem e há muito tempo ele perdera qualquer paladar por ela. Não, seus... apetites... agora eram mais específicos, pensou ele. E se fossem a essa festa, significaria inúmeras horas antes de poder se alimentar. Mas Stefan assentiu, concordando com Elena.

— Se quiser ir — disse ele.

Ela queria; estava decidida a isso. Ele vira desde o início.

— Então, tudo bem, é melhor eu trocar de roupa.

Ele a seguiu até o pé da escada.

— Vista algo com gola alta. Um suéter — sugeriu ele numa voz baixa demais para ser ouvida pelos outros.

Ela olhou a sala de estar vazia pela soleira da porta e disse:

— Tudo bem. Já estão quase curados. Está vendo? — Ela puxou a gola de renda para baixo, girando a cabeça de lado.

Stefan olhou, hipnotizado, as duas marcas redondas na pele fina. Eram de um vermelho transparente muito claro, como a cor de um vinho aguado. Ele trincou os dentes e se obrigou a desviar os olhos. Se olhasse por mais tempo, acabaria louco.

— Não foi isso que eu quis dizer — disse ele bruscamente.

O véu brilhante dos cabelos de Elena caiu nas marcas de novo, escondendo-as.

— Ah.

* * *

— Entre!

Quando eles obedeceram, entrando na sala, a conversa parou. Elena reparou nos rostos que se viravam para eles, olhos curiosos e furtivos e expressões preocupadas. Não era o tipo de olhar que ela estava acostumada a receber quando fazia sua entrada.

Foi outro aluno que abriu a porta para eles; Alaric Saltzman não estava à vista. Mas Caroline estava lá, sentada numa banqueta de bar, com as pernas à mostra para proveito de todos. Ela olhou cinicamente para Elena e fez uma observação qualquer a um menino que estava ao lado. Ele riu.

Elena podia sentir seu sorriso começar a ficar doloroso, enquanto um rubor se espalhava pelo rosto. Depois uma voz familiar chegou a ela.

— Elena, Stefan! Estamos aqui.

Agradecida, ela localizou Bonnie sentada com Meredith e Ed Goff em um sofá de dois lugares no canto. Ela e Stefan se acomodaram num grande divã de frente para eles e ela ouviu a conversa recomeçar pela sala.

Por acordo tácito, ninguém mencionou o constrangimento pela chegada de Elena e Stefan. Elena estava decidida a fingir que tudo estava como sempre foi.

E Bonnie e Meredith a apoiavam.

— Você está ótima — disse Bonnie calorosamente. — Adoro esse suéter vermelho.

— Ela está linda. Não é, Ed? — disse Meredith e Ed, parecendo meio sobressaltado, concordou.

— Então sua turma foi convidada também — disse Elena a Meredith. — Pensei que talvez fosse só o sétimo tempo.

— Não sei se *convidada* é a palavra certa — respondeu Meredith friamente. — Considerando que a participação conta metade da nossa nota.

— Acha que ele falou sério? Ele não pode fazer isso — intrometeu-se Ed.

Elena deu de ombros.

— Para mim, pareceu sério. Onde está Ray? — perguntou ela a Bonnie.

— Ray? Ah, Ray. Não sei, em algum lugar por aí, eu acho. Tem muita gente aqui.

Era verdade. A sala dos Ramsey estava abarrotada e, pelo que Elena podia ver, a multidão fluía para a sala de jantar, para a sala de estar e provavelmente também para a cozinha. Cotovelos roçavam no cabelo de Elena quando as pessoas circulavam atrás dela.

— O que Saltzman queria com vocês depois da aula? — dizia Stefan.

— Alaric — corrigiu Bonnie, presunçosa. — Ele quer que a gente o chame de Alaric. Ah, ele só estava sendo legal. Ele se sentiu péssimo por me fazer reviver aquela experiência agonizante. Ele não sabia exatamente como o Sr. Tanner tinha morrido e não percebeu que eu era tão sensível. É claro que ele mesmo é incrivelmente sensível, então ele entende como é. Ele é de aquário.

— Com uma lua ascendendo no clima romântico — disse Meredith à meia-voz. — Bonnie, você não acredita nessa bobagem, não é? Ele é professor; não devia ficar jogando essa para cima das alunas.

— Ele não estava jogando nada! Ele disse exatamente o mesmo a Tyler e a Sue Carson. Disse que a gente devia formar um grupo de apoio ou escrever um trabalho sobre aquela noite para extravasar nossos sentimentos. Ele disse que os adolescentes são muito impressionáveis e que não quer que a tragédia tenha um impacto duradouro em nossas vidas.

— Ah, fala sério — disse Ed, e Stefan transformou a risada numa tosse. Mas ele não estava se divertindo e a pergunta a Bonnie não tinha sido feita por mera curiosidade. Elena sabia disso; podia sentir irradiando dele. Stefan sentia por Alaric Saltzman o mesmo que a maioria das pessoas de sua turma sentia por Stefan. Cautela e desconfiança.

— *Foi mesmo* estranho ele agir como se a festa fosse uma ideia espontânea em nossa turma — disse ela, respondendo inconscientemente às palavras que Stefan não pronunciara —, quando é óbvio que foi planejada.

— O mais estranho ainda é a ideia de que a escola contrataria um substituto sem contar a ele como o professor anterior morreu — disse Stefan. — Todo mundo está falando nisso; deve até ter saído nos jornais.

— Mas não com todos os detalhes — disse Bonnie com firmeza. — Na verdade, há coisas que a polícia ainda não revelou porque eles acham que pode ajudá-los a pegar o assassino. Por exemplo — ela baixou a voz —, sabe o que Mary disse? O Dr. Feinberg conversou com o cara que fez a autópsia, o legista. E ele disse que não sobrou sangue nenhum no corpo. Nem uma gota.

Elena sentiu um vento gelado soprar por ela, como se estivesse mais uma vez no cemitério. Não conseguiu falar. Mas Ed disse:

— E para onde foi o sangue?

— Bom, acho que foi todo derramado no chão — disse Bonnie calmamente. — Caiu no altar todo e em tudo. É o que a polícia está investigando agora. Mas não é comum um cadáver não ter sangue algum; em geral fica um pouco dentro do corpo. Lividez *post mortem*, é como chamam. Parece uns hematomas grandes e roxos. Qual é o problema?

— Sua incrível sensibilidade está me dando vontade de vomitar — disse Meredith numa voz estrangulada. — Será que podemos mudar de assunto?

— Não foi *você* que ficou toda coberta de sangue — começou Bonnie, mas Stefan a interrompeu.

— Os investigadores já chegaram a alguma conclusão pelo que descobriram até agora? Eles estão mais perto de identificar o assassino?

— Não sei — disse Bonnie, e depois se iluminou. — É verdade, Elena, você disse que sabia...

— Cale a boca, Bonnie — disse Elena em desespero. Se havia um lugar para não discutir isso, era numa sala lotada, cercada de gente que odiava Stefan. Os olhos de Bonnie se arregalaram e ela assentiu, aquiescendo.

Mas Elena não conseguia relaxar. Stefan não matara o Sr. Tanner, e no entanto a mesma evidência que levaria a Damon podia muito bem levar a ele. E *levaria* a ele, porque ninguém, além dela e de Stefan, sabia da existência de Damon. Ele estava lá fora, em algum lugar, nas sombras. Esperando pela próxima vítima. Talvez esperando por Stefan — ou por ela.

— Estou com calor — disse ela de repente. — Acho que vou ver que tipo de refrigerante *Alaric* providenciou.

Stefan começou a se levantar, mas Elena fez um gesto para ele continuar sentado. Para ele, a busca por fritas e ponche não teria utilidade nenhuma. E ela queria ficar sozinha por uns minutos, estar em movimento em vez de sentada, para se acalmar.

Estar com Meredith e Bonnie lhe dera uma falsa sensação de segurança. Deixando-as, ela mais uma vez foi confrontada com olhares de esguelha e costas viradas repentinamente. Desta vez Elena ficou com raiva. Passou pela multidão com uma insolência deliberada, sustentando cada olhar que pegasse por acaso. Eu já sou popular, pensou ela. Posso muito bem ser descarada também.

Ela estava com fome. Na sala de jantar dos Ramsey, alguém dispusera um sortimento de petiscos que parecia surpreendentemente bom. Elena pegou um prato de papel e colocou alguns palitos de cenoura, ignorando as pessoas em volta da mesa de carvalho descorado. Não ia falar com eles, a não ser que primeiramente se dirigissem a ela. Ela dedicou toda a atenção à comida, inclinando-se sobre as pessoas para pegar queijos e biscoitinhos Ritz, estendendo-se diante deles para alcançar as uvas, ostensivamente olhando de um lado a outro de toda a mesa para ver se havia algo que deixara passar.

Ela conseguira atrair a atenção de alguém, algo que sabia sem ter de erguer os olhos. Mordeu delicadamente o palito de biscoito, segurando-o entre os dentes como um lápis, e afastou-se da mesa.

— Posso dar uma mordida?

O choque fez os olhos dela se arregalarem, paralisando sua respiração. A mente de Elena se comprimiu, recusando-se a aceitar o que estava acontecendo e deixando-a impotente e vulnerável diante disso. Mas embora o pensamento racional tivesse desaparecido, seus sentidos registravam tudo impiedosamente: olhos escuros dominando seu campo de visão, um sopro de algum tipo de colônia nas narinas, dois dedos longos trazendo seu queixo para cima. Damon se inclinou e, com elegância e precisão, mordeu a outra ponta do palito.

Naquele momento, os lábios dos dois ficaram a centímetros de distância. Ele se inclinou para uma segunda mordida antes que Elena se recuperasse o suficiente para atirá-la para trás, a mão pegando o pedaço de palito e jogando longe. Ele o pegou no ar, numa virtuosa exibição de reflexo.

Os olhos dele ainda grudados nela. Elena por fim respirou e abriu a boca; não tinha certeza do motivo. Para gritar, provavelmente. Para alertar a todas aquelas pessoas que fugissem para a noite. O coração batia como um martelo de forja e a visão completamente turva.

— Calma, calma. — Ele pegou o prato de Elena e de algum modo a segurou pelo pulso. Segurava de leve, como Mary tinha feito com Stefan. Enquanto ela continuava a fitar e arfar, ele o afagou com o polegar, como se a reconfortasse. — Calminha. Está tudo bem.

O que você está fazendo aqui?, pensou ela. O ambiente parecia sinistramente brilhante e artificial. Era como um daqueles pesadelos em que tudo é comum, como quando estamos despertos; e de repente acontece algo totalmente grotesco. Ele ia matar a todos.

— *Elena? Você está bem?* — Sue Carson falava com ela, pegando-a pelo ombro.

— Acho que ela se engasgou — disse Damon, soltando o pulso de Elena. — Mas agora está bem. Por que não nos apresenta?

Ele ia matar todos...

— Elena. Este é Damon, hummm — Sue ofereceu a mão, desculpando-se, e Damon terminou por ela.

— Smith — ele ergueu um copo de papel para Elena. — *La vita.*

— O que você está fazendo aqui? — sussurrou ela.

— Ele é universitário — disse Sue quando ficou evidente que Damon não ia responder. — Da... Universidade de Virginia, não é isso? William and Mary?

— Entre outros lugares — disse Damon, ainda olhando para Elena. Ele não olhou para Sue nem uma vez. — Gosto de viajar.

O mundo se encaixou novamente para Elena, mas era um mundo gélido. Havia gente de todo lado, assistindo ao diálogo com fascínio, impedindo-a de falar livremente. Mas eles também a mantinham em segurança. Por algum motivo, Damon estava fazendo um jogo, fingindo ser um deles. E enquanto a farsa continuasse, ele não faria nada a ela... Assim Elena esperava.

Um jogo. Mas ele estava ditando as regras. Estava parado aqui na sala de jantar dos Ramsey brincando com ela.

— Ele só vai ficar alguns dias — continuava Sue, prestativa.

— Visitando... amigos, não foi o que disse? Ou parentes?

— Sim — disse Damon.

— Você tem sorte de poder sair sempre que quiser — disse Elena. Ela não sabia o que fazia com que tentasse desmascará-lo.

— A sorte tem muito pouco a ver com isso — disse Damon.

— Gosta de dançar?

— O que você estuda?

Ele sorriu para ela.

— Folclore americano. Sabia, por exemplo, que um sinal no pescoço significa que você será rica? Importa-se se eu der uma olhada?

— *Eu* me importo. — A voz vinha de trás de Elena. Era clara, fria e baixa. Elena só ouviu Stefan falar naquele tom uma vez: quando encontrou Tyler tentando atacá-la no cemitério. Os dedos de Damon paralisaram em seu pescoço e, livre do feitiço, ela recuou.

— Mas você se importa, Elena? — perguntou ele.

Os dois se encararam sob a luz dourada que bruxuleava fraca do candelabro de bronze.

Elena estava ciente das camadas de seus próprios pensamentos, como um *parfait*. Todo mundo a olhava; isto devia ser melhor do que o cinema... Eu não tinha percebido que Stefan era mais alto... Bonnie e Meredith se perguntavam o que estava havendo... A raiva de Stefan, mas ele ainda estava fraco, machucado... Se atacar Damon agora, ele vai perder...

E diante de todas aquelas pessoas. Seus pensamentos pararam de repente enquanto tudo se encaixava. Era para isso que Damon estava aqui, para fazer Stefan atacá-lo, aparentemente sem tê-lo provocado. Não importa o que aconteça depois disso, ele vencerá. Se Stefan o expulsar, será mais uma prova da "tendência violenta" de Stefan. Mais evidências para aqueles que o acusam. E se Stefan perder a briga...

Perderá também a vida, pensou Elena. Ah, Stefan, ele agora é muito mais forte; por favor, não faça isso. Não se coloque nas mãos dele. Ele *quer* matar você; só está procurando uma oportunidade.

Ela incitou o movimento de seus membros, embora estivessem rígidos e desajeitados como os de uma marionete.

— Stefan — disse ela, segurando a mão fria dele. — Vamos para casa.

Ela podia sentir a tensão em seu corpo, como uma corrente elétrica por baixo da pele. Naquele momento, ele estava totalmente concentrado em Damon, e a luz em seus olhos era como fogo refletido em uma lâmina de adaga. Ela não o reconhecia neste estado de espírito, não o conhecia. Ele a assustava.

— *Stefan* — ela chamou como se estivesse perdida numa neblina e não conseguisse encontrá-lo. — Stefan, *por favor*.

E lentamente, bem devagar, ela o sentiu responder. Ouviu-o respirar e sentiu o corpo dele perder o alerta, caindo a um nível de energia mais baixo. A concentração mortal de sua mente foi desviada e ele olhava para Elena, ele a via.

— Tudo bem — respondeu suavemente, fitando os olhos de Elena. — Vamos.

Ela continuou de mãos dadas com ele enquanto se afastavam, uma das mãos segurando a dele, a outra enfiada em seu braço. Por mera força de vontade, ela conseguiu não olhar por sobre o ombro enquanto iam embora, mas a pele de sua nuca formigou e ficou arrepiada como se esperasse a estocada de uma faca.

Em vez disso, ela ouviu a voz baixa e irônica de Damon:

— Já ouviu falar que um beijo numa ruiva cura herpes labial? — E depois a risada escandalosa e lisonjeada de Bonnie.

No caminho para a saída, eles finalmente encontraram o anfitrião.

— Indo embora tão cedo? — disse Alaric. — Mas nem tive a chance de conversar com vocês.

Ele parecia ao mesmo tempo ansioso e recriminador, como um cachorro que sabe muito bem que *não* vai ser levado para passear, mas abana o rabo de qualquer maneira. Elena sentiu a preocupação brotar em seu estômago, por ele e por todos na casa. Ela e Stefan os estavam deixando para Damon.

Ela só esperava que sua avaliação anterior fosse correta e ele quisesse continuar a farsa. Naquele momento ela estava ocupada demais tirando Stefan dali antes que ele mudasse de ideia.

— Não estou me sentindo muito bem — disse ela ao pegar a bolsa onde tinha deixado, perto do divã. — Desculpe, eu lamento. — Ela aumentou a pressão no braço de Stefan. Agora seria preciso muito pouco para que ele se virasse e fosse para a sala de jantar.

— *Eu é* que lamento — disse Alaric. — Adeus.

Eles estavam na porta antes que ela visse o pedacinho de papel violeta enfiado no compartimento lateral da bolsa. Elena o pegou e o desdobrou por reflexo, a mente em outras coisas.

Havia algo escrito ali, simples, claro e desconhecido. Só três frases. Ela as leu e sentiu o mundo balançar. Isto era demais; Elena não podia lidar com mais nada.

— O que é? — disse Stefan.

— Nada. — Ela enfiou o papel no compartimento lateral da bolsa, empurrando-o com os dedos. — Não é nada, Stefan. Vamos sair daqui.

E eles foram encarar as agulhadas da chuva.

7

— Da próxima vez — disse Stefan em voz baixa —, eu não vou embora.

Elena sabia que ele estava falando sério e isso a apavorou. Mas agora suas emoções estavam vagarosamente progredindo para um estado neutro e ela não queria discutir.

— Ele estava lá — disse ela. — Dentro de uma casa comum, cheia de gente comum, como se pertencesse àquele mundo. Não pensei que ele se atreveria a isso.

— E por que não? — disse Stefan asperamente, com amargura. — Eu estava lá, numa casa comum, cheia de gente comum, como se eu pertencesse a isso.

— Eu não quis dar essa impressão. É só que a única vez em que o vi em público foi na Casa Mal-Assombrada, quando ele estava de máscara e fantasia, e a noite estava escura. Antes disso sempre era num lugar deserto, como o ginásio naquela noite em que fiquei lá sozinha, ou no cemitério...

Assim que terminou essa última parte, Elena percebeu que tinha cometido um erro. Ainda não contara a Stefan sobre ter ido procurar Damon três dias antes. No banco do motorista, ele enrijeceu.

— Ou no cemitério?

— É... Quis dizer no dia em que Bonnie, Meredith e eu fomos perseguidas. Estou supondo que deve ter sido Damon. E o lugar estava deserto, a não ser por nós três.

Por que ela mentia para ele? Porque, respondeu uma vozinha severa em sua cabeça, de outra forma ele podia reagir mal. Saber o que Damon disse a ela, o que ele prometeu para seu destino, podia ser o suficiente para empurrar Stefan pelo precipício.

Não posso contar a ele, percebeu Elena com um sobressalto nauseado. Não sobre aquela vez, nem sobre nada que Damon fizesse no futuro. Se lutar com Damon, Stefan morre.

Então ele jamais vai saber, prometeu Elena a si mesma. Não importa o que for preciso, vou impedir que eles lutem por minha causa. Não importa como.

Por um momento, a apreensão a gelou. Quinhentos anos antes, Katherine tentou evitar que eles brigassem e só conseguiu forçá-los a uma luta mortal. Mas ela não cometeria o mesmo erro, disse Elena a si mesma com veemência. Os métodos de Katherine foram idiotas e infantis. Quem, além de uma criança idiota, mataria a si mesma na esperança de que os dois rivais por sua mão se tornassem amigos? Tinha sido o pior erro de toda essa lamentável história. Graças a isso, a rivalidade entre Stefan e Damon se transformou num ódio implacável. E, além de tudo, Stefan vivia com a culpa por isso desde então; ele se culpava pela estupidez e pela fraqueza de Katherine.

Ansiando por outro assunto, ela disse:

— Acha que alguém o convidou a entrar?

— Evidentemente, uma vez que ele *estava* lá dentro.

— Então é verdade sobre... pessoas como você. Vocês têm de ser convidados. Mas Damon entrou no ginásio sem convite.

— Isso porque o ginásio não é moradia de ninguém. Este é o critério. Não importa que seja uma casa, uma barraca ou um apartamento nos fundos de uma loja. Se humanos comerem e dormirem ali, precisamos ser convidados a entrar.

— Mas eu não convidei você a ir a *minha* casa.

— Sim, convidou sim. Naquela primeira noite, quando eu a levei para casa, você abriu a porta e assentiu para que eu entrasse. Não precisa ser um convite verbal. Basta a intenção. E a pessoa que o convida não tem de ser alguém que realmente more na casa. Qualquer humano pode fazer isso.

Elena pensava.

— E quanto a uma casa-barco?

— Dá no mesmo. Embora a água corrente possa ser uma barreira em si. Para alguns de nós, é quase impossível atravessá-la.

Elena teve uma visão súbita de si mesma, Meredith e Bonnie correndo para a ponte Wickery. Porque de algum modo ela sabia que estariam seguras do que as estava perseguindo se chegassem ao outro lado do rio.

— Então é *por isso* — sussurrou ela. Mas ainda não explicava como Elena sabia. Era como se o conhecimento tivesse sido colocado em sua mente, vindo de uma fonte externa. Depois ela percebeu outra coisa.

— Você me carregou pela ponte. Você pode atravessar a água.

— Isso porque sou fraco. — Ele respondeu numa voz monótona, sem emoção nenhuma por trás das palavras. — É uma ironia, mas quanto mais fortes são seus Poderes, mais você é afetado por determinadas limitações. Quanto mais pertence às trevas, mais as regras das trevas o cegam.

— E que outras regras existem? — perguntou Elena. Ela começava a vislumbrar um plano. Ou pelo menos a esperança de um plano.

Stefan olhou para ela.

— Sim — disse ele. — Acho que está na hora de você saber. Quanto mais souber sobre Damon, mais chances terá de se proteger.

De se proteger? Talvez Stefan soubesse mais do que ela pensava. Mas enquanto Stefan conduzia o carro a uma rua paralela e estacionava, ela disse simplesmente:

— Tudo bem. Preciso ficar conservada em alho?

Ele riu.

— Só se quiser ser impopular. Mas há determinadas plantas que podem ajudá-la. Como a verbena. É uma erva que protege contra feitiços e pode manter a mente clara mesmo que alguém esteja usando os Poderes contra você. As pessoas costumavam usá-la em volta do pescoço. Bonnie adoraria; era sagrada para os druidas.

— Verbena — disse ela, saboreando a palavra desconhecida. — O que mais?

— Luzes fortes, ou a luz direta do sol, podem ser dolorosas. Você deve perceber a mudança no clima.

— Já percebi — disse Elena depois de uma pausa. — Quer dizer que Damon está fazendo isso?

— Deve estar. É preciso um poder enorme para controlar os elementos, mas assim fica mais fácil viajar à luz do dia. Desde que ele mantenha o céu nublado, nem precisa proteger os olhos.

— Nem você — disse Elena. — E quanto a... Bom, cruzes e essas coisas?

— Não têm efeito — disse Stefan. — A não ser que a pessoa que a segure *realmente acredite* que é uma proteção, então ela pode fortalecer tremendamente sua vontade de resistir.

— Er... Balas de prata?

Stefan riu de novo.

— Isso é para lobisomens. Pelo que eu soube, eles não gostam de prata de maneira nenhuma. O método comprovado para minha espécie ainda é uma estaca de madeira atravessando o coração. Mas há outras maneiras que são mais ou menos eficazes: queimar, decapitar, martelar pregos nas têmporas. Ou o melhor de tudo...

— Stefan! — O sorriso solitário e amargo dele a deprimia.

— E a transformação em animais? — disse ela. — Antes, você disse que com Poder suficiente, você conseguiria fazer isso. Se Damon pode ser o animal que quiser, como reconhecê-lo?

— Não qualquer animal que ele queira. Ele está limitado a um animal, ou no máximo a dois. Mesmo com os Poderes dele, não acho que ele possa sustentar mais do que isso.

— Então vamos continuar procurando por um corvo.

— Isso mesmo. Talvez você possa saber que ele está por perto observando os animais comuns. Em geral eles não reagem muito bem a nós; sentem que somos caçadores.

— Yangtze ficou latindo para aquele corvo. Era como se soubesse que havia algo errado nele — lembrou-se Elena. — Ah... Stefan — acrescentou ela num tom alterado enquanto um novo pensamento lhe ocorria —, e os espelhos? Não me lembro de ver você em um.

Por um momento, ele não respondeu. Depois disse:

— Diz a lenda que os espelhos refletem a alma de quem os olha. É por isso que os povos primitivos têm medo de espelhos; temem que suas almas fiquem presas e sejam roubadas. Assim, minha espécie não deveria ter reflexo... Porque não temos alma. — Lentamente, ele estendeu a mão para o retrovisor e o virou para baixo, ajustando para que Elena pudesse olhar. No vidro prateado, ela viu os olhos dele, perdidos, assombrados e infinitamente tristes.

Não havia nada a fazer a não ser se abraçá-lo, e foi o que Elena fez.

— Eu te amo — ela sussurrou. Era o único conforto que podia oferecer. Era tudo o que eles tinham.

Os braços de Stefan se estreitaram em volta de Elena; o rosto dele foi enterrado no cabelo dela.

— Você é o espelho — sussurrou ele.

Era bom senti-lo relaxar, a tensão se esvaindo de seu corpo enquanto o calor e o conforto o inundavam. Ela também ficou reconfortada, inundada por uma sensação de paz, cercada por ela. Era tão bom que ela só se lembrou de perguntar o que ele queria dizer quando os dois estavam na porta da casa de Elena, despedindo-se.

— Eu sou o espelho? — disse ela então, olhando para ele.

— Você roubou minha alma — disse ele. — Tranque a porta e não abra durante esta noite. — E então ele se foi.

— Elena, graças a Deus — disse tia Judith. Quando Elena a encarou, ela acrescentou: — Bonnie ligou da festa. Disse que você saiu inesperadamente e, como não chegava em casa, fiquei preocupada.

— Stefan e eu fomos dar uma volta — Elena não gostou da expressão da tia quando disse isso. — Algum problema?

— Não, não. É só que... — Tia Judith não parecia saber como terminar a frase. — Elena, eu me pergunto se seria uma boa ideia... não ver tanto Stefan.

Elena ficou imóvel.

— Você também?

— Não é que eu acredite em fofocas — garantiu tia Judith —, mas, para o seu bem, pode ser melhor se distanciar um pouco dele e...

— Largá-lo? Abandoná-lo porque as pessoas espalham boatos sobre ele? Ficar longe das calúnias para que uma parte delas não grude em mim? — A raiva era um alívio bem-vindo e as palavras se aglomeravam na garganta de Elena, todas tentando sair ao mesmo tempo. — Não, eu *não* acho que seja uma boa ideia, tia Judith. E se estivéssemos falando de Robert, você também não acharia. Ou talvez sim!

— Elena, não vou admitir que fale comigo nesse tom...

— Já terminei mesmo! — gritou Elena, e disparou às cegas para a escada. Conseguiu reprimir as lágrimas até entrar no quarto e trancar a porta. Depois se atirou na cama e chorou.

Ela se arrastou para fora da cama um tempo depois para ligar para Bonnie. Bonnie estava animada e volúvel. Que diabos Elena queria dizer perguntando se havia acontecido alguma coisa incomum depois de ela e Stefan saírem? A coisa incomum foi eles terem ido embora! Não, o cara novo, Damon, não disse nada sobre Stefan; ele só ficou por ali um tempinho e depois desapareceu. Não, Bonnie não viu se ele tinha saído com alguém. Por quê? Elena estava com ciúmes? Sim, isso era uma brincadeira. Mas francamente, ele *era lindo*, não era? Quase tão lindo quanto Stefan, desde que você goste de cabelos e olhos escuros. É claro que se preferir cabelo mais claro e olhos castanhos...

Elena de imediato deduziu que os olhos de Alaric Saltzman eram castanhos.

Ela enfim desligou o telefone e só então se lembrou do bilhete que encontrou na bolsa. Devia ter perguntado a Bonnie se alguém tinha chegado perto de sua bolsa enquanto estava na sala de jantar. Mas Bonnie e Meredith também ficaram parte do tempo na sala de jantar. Alguém pode ter feito isso exatamente nessa hora.

Apenas olhar o papel violeta a fez sentir um gosto de metal no fundo da boca. Mal conseguia encará-lo. Mas agora que estava sozinha, *precisava* abri-lo e ler de novo, o tempo todo na esperança de que desta vez as palavras fossem diferentes, de que ela pudesse ter se enganado.

Mas elas não estavam diferentes. As letras nítidas destacavam-se do fundo claro como se tivessem três metros de altura.

Eu quero tocá-lo. Mais do que qualquer menino que tenha conhecido. E sei que ele quer isso também, mas ele se reprime comigo.

As palavras dela. De seu diário. Aquele que foi roubado.

No dia seguinte, Meredith e Bonnie tocaram a campainha.

— Stefan me ligou ontem à noite — disse Meredith. — Disse que queria se assegurar de que você não ia à escola sozinha. Ele não vai à aula hoje, então perguntou se Bonnie e eu podíamos vir pegar você aqui.

— Para sermos suas damas de companhia — disse Bonnie, que claramente estava de bom humor. — Acho que é um amor da parte dele ser tão protetor.

— Ele também deve ser de Aquário — disse Meredith. — Vamos, Elena, antes que eu a mate para que ela pare de falar em Alaric.

Elena andou em silêncio, perguntando-se o que Stefan estava fazendo para não ir à aula. Sentia-se vulnerável e exposta, como se sua pele estivesse pelo avesso. Um daqueles dias em que ela estava prestes a chorar por qualquer motivo.

Na secretaria, o quadro de avisos trazia um papel violeta.

Ela devia saber. Ela *sabia* em algum lugar bem no fundo. O ladrão não estava satisfeito em fazer com que ela soubesse que suas palavras particulares estavam sendo lidas. Estava deixando claro que ainda podiam se tornar públicas.

Ela arrancou o bilhete do quadro e o amassou, mas não antes de dar uma olhada nas palavras. Bastou uma passada de olhos para aquelas letrinhas fundirem o cérebro de Elena.

Sinto como se alguém o tivesse magoado muito no passado e ele nunca tivesse superado. Mas também me parece algo que o deixa temeroso, um segredo que ele tem medo que eu descubra.

— Elena, o que é isso? Qual é o problema? Elena, volte aqui!

Bonnie e Meredith a seguiram até o banheiro feminino mais próximo, onde ela parou perto do cesto de lixo, rasgando o bilhete em pedaços microscópicos, respirando como se tivesse corrido uma maratona. Elas se entreolharam e se preocuparam em verificar os reservados do banheiro.

— Muito bem — disse Meredith em voz alta —, privilégio de veterana. Você! — Ela bateu na única porta fechada. — Saia.

Houve um farfalhar, depois uma caloura confusa saiu.

— Mas eu ainda nem...

— Saia. Fora — ordenou Bonnie. — E *você* — disse ela à menina que lavava as mãos —, fique lá fora e cuide para que ninguém mais entre.

— Mas por quê? O que vocês...

— *Anda*, garota. Se alguém passar por essa porta, vamos considerar você a responsável.

Quando a porta se fechou de novo, elas cercaram Elena.

— Tudo bem, isto é um assalto — disse Meredith. — Anda logo, Elena, desembucha.

Elena rasgou o último pedacinho de papel, presa entre o riso e as lágrimas. Queria contar tudo a elas, mas não podia. Então falou sobre o diário.

As duas ficaram igualmente furiosas, tão indignadas quanto Elena.

— Foi alguém da festa, só pode ser — disse Meredith por fim, depois que cada uma delas expressou sua opinião sobre o caráter, a moral e o provável destino do ladrão no além-túmulo. — Mas qualquer um ali pode ter feito isso. Não me lembro de ninguém em particular chegando perto de sua bolsa, mas a sala estava abarrotada de gente e pode ter acontecido sem que eu percebesse.

— Mas por que alguém ia *querer* fazer isso? — disse Bonnie.

— A não ser... Elena, na noite em que encontramos Stefan, você andou sugerindo umas coisas. Disse que achava saber quem era o assassino.

— Eu não achava que sabia; eu *sabia*. Mas se está querendo dizer que isto pode ter alguma relação, não tenho certeza. Pode até ser. A mesma pessoa pode ter feito isso.

Bonnie ficou apavorada.

— Mas isso significa que o assassino é um aluno da escola! — Quando Elena sacudiu a cabeça, ela continuou: — A única pessoa na festa que não era aluna era aquele cara e o Alaric. — Sua expressão mudou. — Alaric não matou o Sr. Tanner! Ele nem estava em Fell's Church na época.

— Eu sei. Não foi Alaric. — Agora Elena tinha ido longe demais para parar; Bonnie e Meredith já sabiam demais. — Foi Damon.

— Aquele cara era o *assassino*? O cara que me *beijou*?

— Bonnie, calma. — Como sempre, a histeria dos outros deixava Elena mais controlada. — Sim, ele é o assassino e nós três temos que ficar em guarda contra ele. É por isso que estou contando a vocês. Nunca, jamais convidem aquele sujeito a entrar na casa de vocês.

Elena parou, considerando a reação das amigas. Elas a encaravam, e por um momento ela teve a sensação nauseante de que não acreditavam. Que questionariam sua sanidade.

Mas Meredith apenas perguntou numa voz tranquila e desligada:

— Tem certeza disso?

— Sim. Tenho certeza. Ele é o assassino, foi ele quem colocou Stefan no poço e ele pode vir atrás de uma de nós. E não sei se há algo que possa impedi-lo.

— Está certo, então — disse Meredith, erguendo as sobrancelhas. — Não me admira que você e Stefan tivessem tanta pressa para sair da festa.

Caroline abriu um sorriso malicioso para Elena enquanto esta entrava no refeitório. Mas Elena estava em outro plano para perceber.

Mas uma coisa ela notou de cara. Vickie Bennett estava lá.

Vickie não ia à escola desde a noite em que Matt, Bonnie e Meredith a encontraram vagando na estrada, tagarelando sobre névoa, olhos e algo terrível no cemitério. Os médicos que a examinaram depois disseram que não havia nada de errado com ela fisicamente, mas ela ainda não tinha voltado a Robert

E. Lee. As pessoas cochichavam sobre psicólogos e os tratamentos medicamentosos que estavam tentando.

Mas ela não parecia louca, pensou Elena. Estava pálida, contida e meio amarfanhada em suas roupas, e quando Elena passou e ela notou sua presença, os olhos de Vickie eram como de uma corça assustada.

Era estranho se sentar a uma mesa meio vazia, com a companhia apenas de Bonnie e Meredith. Em geral as pessoas se espremiam para conseguir lugares na mesa das três.

— Não terminamos aquela conversa de hoje de manhã — disse Meredith. — Pegue algo para comer, depois vamos pensar no que fazer com aqueles bilhetes.

— Não estou com fome — disse Elena categoricamente.

— E o que a gente *pode* fazer? Se for Damon, não há como impedi-lo. Confie em mim, não é um caso de polícia. É por isso que não contei a eles que ele é o assassino. Não há nenhuma prova, e além disso eles nunca... Bonnie, você não está prestando atenção.

— Desculpe — disse Bonnie, que olhava para além da orelha esquerda de Elena. — Mas está rolando algo bem estranho ali.

Elena se virou. Vickie Bennett estava parada na frente do refeitório, mas não parecia mais amarfanhada e contida. Avaliava a sala de um jeito furtivo, sorridente.

— Bom, ela não parece normal, mas eu não diria que está exatamente estranha — disse Meredith. Depois acrescentou: — Peraí um minutinho.

Vickie desabotoava o cardigã. Mas o estranho era o *jeito* como fazia isso — com petelecos deliberados dos dedos, o tempo todo olhando em volta com aquele sorriso miste-rioso. Quando o último botão foi aberto, ela tirou o suéter delicadamente entre o indicador e o polegar e o deslizou pri-meiro por um braço, depois por outro. Ela largou o suéter no chão.

— A palavra é estranha mesmo — confirmou Meredith.

Os alunos que passavam na frente de Vickie com as bande-jas lotadas olharam para ela com curiosidade e depois olharam de novo por sobre o ombro. Mas só pararam de andar quando ela tirou os sapatos.

Ela o fez graciosamente, encostando o salto de uma bota no bico da outra e empurrando. Depois tirou a segunda bota com um chute.

— Ela não pode continuar com isso — murmurou Bonnie, enquanto os dedos de Vickie passavam aos botões de pérolas falsas da blusa de seda branca.

Cabeças viravam; as pessoas se cutucavam e gesticulavam. Em volta de Vickie, formara-se um pequeno grupo, parado a certa distância para não interferir na visão dos outros.

A blusa de seda branca foi tirada, flutuando como um fan-tasma ferido até o chão. Vickie estava de sutiã de renda creme por baixo.

Não se ouviu mais nenhum som no refeitório, só o silvo dos cochichos. Ninguém comia. O grupo de pessoas em volta de Vickie cresceu.

Vickie sorria recatadamente e começava a soltar as fivelas na cintura. Foi a vez da saia pregueada cair no chão. Ela pisou e a empurrou de lado com o pé.

Alguém apareceu nos fundos do refeitório e entoou: "*Tira! Tira!*" Outras vozes se juntaram a ele.

— Ninguém vai parar a garota? — Bonnie fumegava.

Elena se levantou. Da última vez em que havia chegado perto de Vickie, a menina gritou e bateu nela. Mas agora, enquanto Elena se aproximava, Vickie lhe abriu um sorriso conspiratório. Seus lábios se moveram, mas Elena não conseguiu distinguir o que ela dizia com aquela cantoria toda.

— Vamos, Vickie. Venha — disse ela.

O cabelo castanho claro de Vickie foi atirado para trás e ela puxou a alça do sutiã.

Elena abaixou-se para pegar o cardigã e passá-lo nos ombros da menina magra. Ao fazer isso, enquanto tocava Vickie, aqueles olhos semicerrados se arregalaram como uma corça assustada de novo. Vickie lançou para Elena um olhar, como se tivesse acabado de acordar de um sonho. Olhou para si mesma e sua expressão transformou-se em incredulidade. Apertando mais o cardigã em volta do corpo, ela recuou, tremendo.

A sala ficou em silêncio de novo.

— Está tudo bem — disse Elena num tom tranquilizador. — Vamos.

Ao som da voz de Elena, Vickie pulou como se tocada por um fio desencapado. Encarou Elena, depois explodiu.

— Você é um deles! Eu vi você! Você é do mal!

Ela se virou e correu descalça para fora do refeitório, deixando Elena aturdida.

8

— abe o que é esquisito no que Vickie fez na escola? Quero dizer, além de todas as coisas óbvias — disse Bonnie, lambendo a cobertura de chocolate dos dedos.

— O quê? — disse Elena, desanimada.

— Bom, o modo como ela terminou, de sutiã. Ela estava igualzinha ao dia em que a encontramos na estrada, só que lá ela também estava toda arranhada.

— Arranhões de gato, foi o que pensamos — disse Meredith, dando a última dentada no bolo. Ela parecia estar num daqueles estados de espírito silenciosos e pensativos; agora olhava Elena com atenção. — Mas isso não me parece muito provável.

Elena a encarou também.

— Talvez ela tenha caído em algumas trepadeiras — disse ela. — Agora, se vocês já terminaram de comer, querem ver aquele primeiro bilhete?

Elas deixaram os pratos na pia e subiram a escada para o quarto de Elena, que se sentia corar enquanto as outras liam o bilhete. Bonnie e Meredith eram suas melhores amigas, agora talvez as únicas. Ela já havia lido passagens de seu diário para as duas. Mas isto era diferente. Era a sensação mais humilhante que ela teve na vida.

— E então? — disse ela a Meredith.

— Quem escreveu isso tem 1,70m de altura, é meio manco e usa bigode falso — entoou Meredith. — Desculpe — acrescentou ela, vendo a expressão de Elena. — Não é engraçado. Na verdade, não há muito por onde começar, há? A letra parece de homem, mas o papel é bem coisa de mulher.

— E o bilhete todo tem um toque meio feminino — acrescentou Bonnie, quicando de leve na cama de Elena. — Bom, tem mesmo — disse ela na defensiva. — Citar trechos do diário de alguém é algo que só mesmo uma mulher pensaria em fazer. Os homens não ligam para diários.

— Você não quer acreditar que seja o Damon — disse Meredith. — Pensei que estivesse mais preocupada com ele sendo um assassino psicopata do que um ladrão de diários.

— Não sei; os assassinos são meio românticos. Imagine você morrendo com as mãos dele agarrando seu pescoço. Damon estrangula você até a morte e a sua última visão é o rosto dele.

— Colocando as mãos no próprio pescoço, Bonnie arfou e

expirou tragicamente, terminando tombada na cama. — Ele pode ficar comigo quando quiser — disse ela, de olhos ainda fechados.

Elena estava prestes a dizer, "você não entende, isso é *sério*", mas em vez disso sibilou num suspiro.

— Ah, meu Deus — disse ela, e correu até a janela. O dia estava úmido e pesado, e a janela fora aberta. Do lado de fora, nos galhos esqueléticos do marmeleiro, havia um corvo.

Elena bateu a janela com tanta força que o vidro chocalhou e tiniu. O corvo olhou para ela através da vidraça trêmula com olhos de obsidiana. Arco-íris cintilaram da plumagem preta e reluzente.

— Por que você *disse* isso? — disse ela, virando-se para Bonnie.

— Ei, não tem ninguém lá fora — disse Meredith delicadamente. — A não ser que os pássaros contem.

Elena se afastou delas. A árvore agora estava vazia.

— Desculpe — disse Bonnie com a voz fraca, depois de um momento. — É só que às vezes nada disso parece real, nem a morte do Sr. Tanner parece lá muito verdadeira. E Damon parecia... Bom, excitante. Mas perigoso. Posso acreditar que ele é perigoso.

— E além disso, ele não ia espremer seu pescoço; ia cortá-lo — disse Meredith. — Ou pelo menos foi o que ele fez com o Sr. Tanner. Mas o velho debaixo da ponte teve a garganta dilacerada, como se um animal tivesse feito isso. — Meredith procurou esclarecimento em Elena. — Damon não tem um animal, tem?

— Não. Não sei. — De repente, Elena se sentiu muito cansada. Estava preocupada com Bonnie, com as consequências daquelas palavras tolas.

"Posso fazer qualquer coisa com você e com aqueles que mais ama", ela se lembrou. O que Damon podia fazer agora? Ela não o compreendia. Ele era diferente a cada vez que se encontravam. No ginásio, ele foi debochado, rindo dela. Mas da vez seguinte ela jurava que ele falava a sério, citando poesia para ela, tentando convencê-la a sair com ele. Na semana anterior, com o vento gelado do cemitério vergastando em volta, ele foi ameaçador, cruel. E por trás das palavras irônicas ditas na noite passada, ela sentiu-se novamente ameaçada. Elena não podia prever o que ele faria depois.

Mas, o que quer que acontecesse, ela precisava proteger Bonnie e Meredith dele. Em especial porque ela não podia alertá-las corretamente.

E o que Stefan estava aprontando? Ela precisava dele agora, mais do que qualquer outra coisa. Onde é que ele *estava*?

Começou naquela manhã.

— Deixa ver se eu entendi direito — disse Matt, encostando-se na carroceria de seu velho Ford sedan quando Stefan o procurou antes da aula. — Quer meu carro emprestado.

— Sim — disse Stefan.

— E o motivo para você querer meu carro emprestado são flores. Você quer conseguir umas flores para Elena.

— Sim.

— E essas flores em particular, essa flores que você tem que arranjar, não crescem por aqui.

— Podem crescer. Mas a estação na qual florescem já chegou ao fim aqui, tão ao norte. E o gelo teria acabado com elas de qualquer forma.

— Então você quer ir para o sul... Até onde no sul, você não sabe... Para encontrar umas flores dessas que você tem que dar a Elena.

— Ou pelo menos umas mudas — disse Stefan. — Mas prefiro ter as flores de verdade.

— E como a polícia ainda está com seu carro, você quer pegar o meu emprestado, pelo tempo que precisar para chegar ao sul e encontrar essas flores que precisa dar para Elena.

— Imagino que dirigir é a forma menos ostensiva de sair da cidade — explicou Stefan. — Não quero que a polícia me siga.

— Aham. E é por isso que quer meu carro.

— Sim. Vai me emprestar?

— Vou emprestar meu carro ao cara que roubou minha namorada e agora quer fazer um passeio ao sul para descolar umas flores especiais que ela precisa ganhar? Você está louco?

— Matt, que olhava os telhados das casas de madeira do outro lado da rua, virou-se enfim para olhar Stefan. Seus olhos azuis, em geral animados e francos, estavam repletos de uma incredulidade completa, encimados por sobrancelhas torcidas e unidas.

Stefan virou a cara. Devia saber muito bem. Depois de tudo o que Matt fizera por ele, era ridículo esperar mais. Em especial ultimamente, quando as pessoas se encolhiam ao som de seus passos e evitavam seus olhos quando ele se aproximava.

Esperar que Matt, que tinha os melhores motivos para se ressentir dele, fizesse um favor desses sem explicações, com base só na fé, era *mesmo* insanidade.

— Não, eu não estou louco — disse ele em voz baixa e se virou para ir.

— Nem eu — disse Matt. — E só estando muito louco para entregar meu carro a você. Que inferno, não. Eu vou com você.

Quando Stefan se virou, Matt estava olhando o carro e não para ele, o lábio inferior projetado para frente num biquinho preocupado e prudente.

— Afinal — disse ele, esfregando o vinil lascado do teto —, você pode arranhar a pintura ou algo assim.

Elena baixou o fone no gancho. *Alguém* estava no pensionato, porque alguém tirava o fone do gancho quando tocava, mas depois disso só havia silêncio e o estalo da linha desconectada. Ela desconfiava de que era a Sra. Flowers, mas isso não dizia nada sobre onde estava Stefan. Por instinto, ela queria ir até ele. Mas estava escuro lá fora e Stefan a alertara especificamente para não sair no escuro, em especial para ir a algum lugar perto do cemitério ou do bosque. O pensionato ficava perto dos dois.

— Ninguém atende? — disse Meredith enquanto Elena voltava e se sentava na cama.

— Ela fica desligando na minha cara — disse Elena e murmurou alguma coisa.

— Você disse que ela era uma bruaca?

— Não, mas rima com isso.

— Olha — disse Bonnie, sentando-se ereta. — Se Stefan disse que ia ligar, então ele vai ligar. Não há motivos para você passar a noite comigo.

Havia um motivo, embora Elena não pudesse explicar nem mesmo a si. Afinal, Damon tinha beijado Bonnie na festa de Alaric Saltzman. Era culpa de Elena que Bonnie estivesse correndo perigo. De algum modo ela sentia que podia proteger Bonnie se pelo menos estivesse presente.

— Minha mãe, meu pai e Mary estão em casa — insistiu Bonnie. — E trancamos todas as portas e janelas e tudo desde que o Sr. Tanner foi assassinado. Neste fim de semana papai até colocou umas trancas a mais. Não vejo o que *você* possa fazer quanto a isso.

Elena também não via. Mas ia fazer, mesmo assim.

Ela deixou um recado para Stefan com tia Judith, para dizer a ele onde estava. Ainda havia um constrangimento renitente entre ela e a tia. E assim seria, pensou Elena, até que a tia mudasse de ideia sobre Stefan.

Na casa da amiga, ela ficou com o quarto que pertencia a uma das irmãs de Bonnie que agora estava na universidade. A primeira atitude que tomou foi olhar a janela. Estava fechada e trancada, e não havia nada do lado de fora em que alguém pudesse subir, como um cano ou uma árvore. O mais disfarçadamente possível, ela também verificou o quarto de Bonnie e quaisquer outros em que conseguiu entrar. Bonnie tinha razão; todos estavam lacrados por dentro. Nada de fora podia entrar.

Naquela noite, ela ficou deitada na cama por muito tempo, olhando o teto, incapaz de dormir. Ficava se lembrando de Vickie sonhadoramente fazendo um *striptease* no refeitório. O que havia de errado com aquela menina? Ela se lembraria de perguntar a Stefan da próxima vez em que o visse.

Pensar em Stefan era agradável, mesmo com todas as coisas terríveis que aconteceram recentemente. Elena sorriu no escuro, deixando a mente vagar. Um dia, todo esse tormento acabaria, e ela e Stefan poderiam planejar a vida juntos. É claro que ele não falou nada sobre isso, mas Elena tinha certeza. Ia se casar com Stefan, ou com mais ninguém. E Stefan não ia se casar com ninguém, só com ela...

A transição para o sonho foi tão suave e gradual que ela mal percebeu. Mas ela sabia, de algum modo, que estava sonhando. Era como se parte dela estivesse parada, assistindo ao desenrolar do sonho.

Ela estava sentada em um corredor comprido, coberto de espelhos de um lado e janelas do outro. Esperava algo. Depois viu um tremor de movimento e Stefan estava parado do lado de fora das janelas. Com o rosto pálido e os olhos magoados e coléricos. Ela se aproximou da janela, mas não conseguiu ouvir o que ele dizia por causa do vidro. Em uma das mãos, ele segurava um livro com capa de veludo azul e ficava gesticulando para o objeto e perguntando alguma coisa a ela. Depois ele finalmente largou o livro e se virou.

— Stefan, não vá! Não me deixe! — ela gritava. Seus dedos se achataram no vidro, esbranquiçados. Depois ela percebeu que havia uma tranca em um lado da janela e a abriu, chamando por ele. Mas ele tinha desaparecido e do lado de fora só se via a névoa branca, girando.

Desconsolada, ela se afastou da janela e começou a andar pelo corredor. Sua própria imagem cintilava em um espelho após outro. Depois alguma coisa em um dos reflexos chamou sua atenção. Os olhos eram os dela, mas havia uma nova expressão, um olhar predatório, furtivo. Os olhos de Vickie estavam exatamente assim quando ela se despiu. E havia algo perturbador e faminto em seu sorriso.

Enquanto Elena olhava, imóvel, a imagem de repente rodopiou sem parar, como se dançasse. O horror tomou Elena. Ela começou a correr pelo salão, mas agora todos os reflexos tinham vida própria, dançando, acenando, rindo para ela. Quando pensou que seu coração e os pulmões iam explodir de pavor, ela chegou ao final do corredor e abriu uma porta num rompante.

Estava numa sala grande e bonita. O teto alto era intrincadamente entalhado e marchetado de ouro; as soleiras das portas eram revestidas de mármore branco; estátuas clássicas ficavam em nichos pelas paredes. Elena nunca vira uma sala com tanto esplendor, mas sabia onde estava. Era a Itália renascentista, quando Stefan era vivo.

Ela olhou para si mesma e viu que usava um vestido parecido com aquele que tinha feito para o Halloween, o vestido de baile azul gelo da Renascença. Mas este vestido era de um vermelho rubi profundo, e na cintura ela usava uma corrente fina incrustada de pedras vermelhas e brilhantes. As mesmas pedras estavam em seus cabelos. Quando ela se mexeu, a seda faiscou como chamas à luz de centenas de tochas.

Na extremidade do salão, duas portas imensas giraram para dentro. Uma figura apareceu entre elas. Andou na direção de Elena e ela viu que era um jovem vestido de roupas renascentistas, camisa leve e colete debruado de peles.

Stefan! Ela partiu na direção dele com ansiedade, sentindo o peso do vestido balançar da cintura. Mas paralisou ao se aproximar, puxando o ar subitamente. Era Damon.

Ele continuou andando na direção dela, confiante, despreocupado. Ele sorria, e tinha uma expressão desafiadora. Alcançando-a, ele pôs a mão no coração e se curvou. Depois estendeu a mão para ela como se a desafiasse a segurá-la.

— Gosta de dançar? — disse ele. Sem mover os lábios. A voz estava na mente de Elena.

O medo dela se esgotou e ela riu. Qual era o problema dela, com medo dele? Eles se entendiam muito bem. Mas em vez de segurar a mão de Damon, ela se virou, a seda do vestido girando atrás dela. Elena andou com leveza para uma das estátuas junto à parede, sem olhar para ver se ele a seguia. Ela sabia que ele a seguiria. Fingiu estar absorta na estátua, afastando-se de novo assim que ele a alcançou, mordendo o lábio para reprimir o riso. Sentia-se maravilhosamente bem, tão viva, tão linda. Perigoso? É claro, esse jogo era perigoso. Mas ela sempre gostara do perigo.

Quando ele a alcançou de novo, ela o observou com malícia ao se virar. Ele estendeu a mão, mas só pegou a corrente em sua cintura. Ele a soltou rapidamente e, olhando para trás, ela viu que o engaste de uma das gemas o havia cortado.

A gota de sangue no dedo dele era da cor exata do vestido dela. Os olhos de Damon faiscaram para ela de lado e os lábios se curvaram num sorriso debochado enquanto ele erguia o dedo ferido. Você não se atreveria, dizia aquele olhar.

Ah, não?, disse Elena a ele com o olhar. Ousada, ela pegou a mão dele e a segurou por um momento, provocando-o. Depois levou o dedo aos lábios.

Após alguns segundos, ela o soltou e olhou para ele.

— Eu *gosto* de dançar — disse ela e descobriu que, como ele, podia falar com a mente. Era uma sensação emocionante. Ela foi ao meio do salão e esperou.

Ele a seguiu, gracioso, como uma fera à espreita. Seus dedos eram quentes e firmes ao se entrelaçarem aos dela.

Havia música, embora o volume oscilasse e parecesse distante. Damon apoiou a outra mão na cintura de Elena. Ela podia sentir o calor dos dedos dele ali, a pressão. Ela levantou a saia e eles começaram a dançar.

Era adorável, era como voar, e o corpo de Elena conhecia cada movimento. Eles giraram e giraram pela sala vazia, em perfeita sintonia, juntos.

Damon ria para ela, os olhos escuros cintilando de prazer. Ela se sentia tão linda; tão equilibrada, atenta e pronta para tudo. Não conseguia se lembrar de quando tinha se divertido tanto.

Aos poucos, porém, o sorriso dele esmaeceu e o ritmo da dança dos dois se reduziu. Por fim, ela ficou imóvel no círculo dos braços dele. Seus olhos escuros não eram mais de diversão, traziam ferocidade e ódio. Ela olhou para ele com sobriedade, sem temer. E depois, pela primeira vez, sentiu que *estava mesmo* sonhando; ficou meio tonta, muito lânguida e fraca.

O ambiente em volta era algo completamente turvo. Ela só conseguia enxergar os olhos dele, e eles a faziam se sentir cada vez mais sonolenta. Elena permitiu que os próprios olhos se fechassem um pouco e a cabeça caísse para trás. Ela suspirou.

Podia *sentir* o olhar dele agora, nos lábios, no pescoço dela. Ela sorriu consigo mesma e deixou que os olhos se fechassem completamente.

Ele agora sustentava o peso de Elena, evitando que ela caísse. Ela sentiu os lábios dele tocando seu pescoço, eram ardentes e febris. Depois ela sentiu a fisgada, como as estocadas de duas agulhas. Acabou rapidamente, porém, e ela relaxou para o prazer de ter seu sangue drenado.

Lembrava-se dessa sensação, a sensação de flutuar numa cama de luz dourada. Um langor delicioso tomou o corpo de Elena. Ela ficou sonolenta, como se tivesse muita dificuldade para se mexer. Não queria se afastar; sentia-se muito bem.

Os dedos de Elena estavam pousados no cabelo de Damon, mantendo a cabeça dele próxima. Negligentemente, ela os entrelaçou nas mechas escuras e macias. O cabelo de Damon era como seda, quente e vivo sob os dedos. Quando ela abriu os olhos numa fenda, viu que refletia um arco-íris à luz de velas. Vermelho, azul, roxo, como... como as penas...

E depois tudo se espatifou. De repente sentiu dor no pescoço, como se sua alma estivesse sendo arrancada. Ela empurrava Damon, arranhava-o, tentando obrigá-lo a se afastar. Gritos soavam em seus ouvidos. Damon lutava, mas não era Damon; era um corvo. Asas imensas batiam contra ela, agitando-se no ar.

Os olhos de Elena estavam abertos. Ela estava consciente e gritava. O salão desaparecera e ela estava num quarto escuro. Mas o pesadelo a seguira. Mesmo enquanto estendia a mão para acender a luz, ele voltava, asas batendo em seu rosto, o bico afiado mergulhando em busca dela.

Elena o golpeava, a mão voando para proteger os olhos. Ainda gritava. Não conseguia se livrar disso, daquelas asas terríveis que se agitavam freneticamente, com um som de mil cartas de baralho sendo embaralhadas.

A porta se abriu de repente e ela ouviu gritos. O corpo quente e pesado do corvo a prendeu e seus gritos foram mais altos. Depois alguém a estava tirando da cama e ela estava de pé, protegida atrás do pai de Bonnie. Ele tinha uma vassoura e batia na ave.

Bonnie estava na soleira da porta. Elena correu para os braços dela. O pai de Bonnie gritava, depois ouviu-se o bater de uma janela.

— Saiu — disse o Sr. McCullough, respirando com dificuldade.

Mary e a Sra. McCullough estavam no corredor, vestidas em roupões.

— Você está machucada — disse a Sra. McCullough a Elena, pasma. — Aquele bicho horrível bicou você.

— Estou bem — disse Elena, esfregando um ponto de sangue no rosto. Tremia tanto que os joelhos estavam prestes a ceder.

— Como foi que isso *entrou*? — disse Bonnie.

O Sr. McCullough examinava a janela.

— Não devia ter deixado a janela aberta — disse ele. — E o que pretendia com as trancas levantadas?

— Eu não fiz isso — Elena chorava.

— Estava destrancada e aberta quando ouvi você gritando e entrei — disse o pai de Bonnie. — Não sei quem mais teria aberto se não foi você.

Elena sufocou os protestos. Hesitante, com cautela, foi até a janela. Ele tinha razão; as trancas tinham sido desatarraxadas. E isso só podia ter sido feito de dentro da casa.

— Talvez você seja sonâmbula — disse Bonnie, afastando Elena da janela enquanto o Sr. McCullough começava a fixar as trancas. — É melhor você se limpar.

Sonâmbula. De repente todo o sonho voltou a Elena. O corredor de espelhos, o salão de baile e Damon. Dançando com Damon. Ela se livrou do aperto de Bonnie.

— Eu mesma faço isso — disse ela, ouvindo a própria voz tremer à beira da histeria. — Não... É sério... Eu quero fazer. — Ela escapuliu para o banheiro e ficou de costas para a porta trancada, tentando respirar.

A última coisa que queria fazer era se olhar num espelho. Mas por fim, lentamente, ela se aproximou do que estava sobre a pia, tremendo ao ver a beira do reflexo, aproximando-se centímetro a centímetro até ser emoldurada em sua superfície prateada.

Sua imagem a encarava de volta, pálida como um fantasma, os olhos que pareciam feridos e assustados. Havia olheiras fundas e manchas de sangue no rosto.

Devagar, ela virou a cabeça de leve e levantou o cabelo. Quase gritou ao ver o que havia ali.

Duas pequenas feridas, recentes e abertas na pele do pescoço.

9

— ei que vou lamentar por perguntar isso — disse Matt, desviando os olhos avermelhados que contemplavam a I-95 para Stefan, sentado no banco do carona ao lado dele. — Mas pode me dizer por que queremos esse mato extraespecial, semitropical e que não está disponível na cidade para Elena?

Stefan olhou no banco traseiro o resultado de sua busca por sebes e matagal. As plantas, com caules verdes se ramificando e folhas serreadas, pareciam mais um mato do que qualquer outra coisa. Os restos secos de flores nas pontas dos brotos eram quase invisíveis, e ninguém podia fingir que aqueles brotos eram decorativos.

— E se eu disser que elas podem ser usadas para fazer um colírio natural? — propôs ele, depois de pensar por um momento. — Ou um chá medicinal?

— Por quê? Estava pensando em dizer algo assim?

— Na verdade, não.

— Que bom. Porque se dissesse, eu talvez desse um murro na sua cara.

Sem olhar para Matt, Stefan sorriu. Havia alguma coisa nova se agitando dentro dele, algo que não sentia há quase cinco séculos, a não ser com Elena. Aceitação. Calor e amizade partilhados com um companheiro, que não sabia a verdade sobre ele, mas confiava nele mesmo assim. Que estava disposto a acreditar nele. Não sabia se merecia isso, mas não podia negar o significado que aquilo tinha. Quase o fez se sentir... humano de novo.

Elena olhava sua própria imagem no espelho. Não fora um sonho. Não inteiramente. As feridas em seu pescoço provavam isso. E agora que as via, ela percebeu a vertigem, a letargia.

Foi culpa dela. Ficou tão preocupada em alertar Bonnie e Meredith para não convidarem estranhos a entrarem em casa. E o tempo todo se esquecera de que ela mesma convidara Damon para a casa de Bonnie; ela fez isso na noite em que montou o jantar na sala de Bonnie e gritou à escuridão, "entre".

E o convite valia para sempre. Ele podia voltar sempre que quisesse, mesmo agora. Em especial agora, enquanto ela estava fraca e podia muito bem ser hipnotizada a destrancar a janela de novo.

Elena cambaleou para fora do banheiro, passou por Bonnie e entrou no quarto de hóspedes. Pegou a bolsa de viagem e começou a enfiar tudo nela.

— Elena, você não pode ir para casa!

— Não posso ficar aqui — disse Elena. Ela olhou em volta, procurando pelos sapatos, localizou-os perto da cama e partiu para eles. Depois parou, com um som estrangulado. Deitada no lençol amarfanhado da cama havia uma única pena preta. Era imensa, terrivelmente grande, real e sólida, com uma haste grossa de aparência lustrosa. Parecia quase obscena deitada ali no lençol branco de percal.

A náusea tomou conta de Elena, e ela se afastou. Não conseguia respirar.

— Tudo bem, tudo bem — disse Bonnie. — Se é assim que você prefere, vou pedir ao meu pai para levar você para casa.

— Você tem que vir também. — Acabara de ocorrer a Elena que Bonnie estava mais segura na casa dela. *Você e aqueles que mais ama*, lembrou-se ela, e virou-se para pegar o braço de Bonnie. — Você *tem que ir*, Bonnie. Preciso de você comigo.

E por fim ela conseguiu. Os McCullough pensaram que ela estava histérica, que estava exagerando, possivelmente sofrendo um colapso nervoso. Mas por fim cederam. O Sr. McCullough levou Elena e Bonnie para a casa dos Gilbert, onde, como se fossem duas ladras, elas destrancaram a porta e se esgueiraram para dentro sem acordar ninguém.

Mesmo ali, Elena não conseguia dormir. Ficou deitada ao lado de Bonnie, que respirava delicadamente, olhando a janela do quarto, vigiando. Do lado de fora, os galhos do marmeleiro guinchavam no vidro, mas nada mais se mexeu até o amanhecer.

Foi quando ela ouviu o carro. Reconhecia o motor ofegante de Matt em qualquer lugar. Alarmada, foi na ponta dos pés até a janela e olhou a quietude do amanhecer de outro dia cinzento. Depois correu escada abaixo e abriu a porta.

— Stefan! — Ela nunca ficou tão feliz em ver alguém. Voou para ele antes que ele pudesse fechar a porta do carro. Ele balançou para trás com a força do impacto, e ela pôde sentir sua surpresa. Ela normalmente não era tão efusiva em público.

— Ei — disse ele, retribuindo gentilmente o abraço. — Eu também, mas não amasse as flores.

— Flores? — Ela recuou para olhar o que ele carregava; depois, observou o rosto de Stefan. Depois o de Matt, que saía do outro lado do carro. A expressão de Stefan era pálida e esgotada; a de Matt estava inchada de cansaço; os olhos injetados.

— É melhor entrarem — disse ela por fim, confusa. — Vocês dois estão péssimos.

— É a verbena — disse Stefan, algum tempo depois. Ele e Elena estavam sentados à mesa da cozinha. Pela porta aberta, podiam ver Matt estendido no sofá da família, roncando suavemente. Ele desabara ali depois de comer três tigelas de cereais. Tia Judith, Bonnie e Margaret ainda estavam dormindo no segundo andar, mas mesmo assim Stefan mantinha a voz baixa. — Lembra do que lhe falei sobre ela? — perguntou ele.

— Você disse que ajuda a manter sua mente clara mesmo quando alguém está usando os Poderes para influenciá-la. — Elena teve orgulho da estabilidade em sua voz.

— Isso mesmo. E essa é uma das coisas que Damon pode tentar. Ele pode usar o Poder da mente mesmo à distância, e pode fazer isso, quer você esteja dormindo ou acordada.

Lágrimas encharcaram os olhos de Elena e ela baixou a cabeça para escondê-las, observando os caules longos e finos com os restos secos de minúsculas flores lilases na pontinha.

— Dormindo? — sussurrou ela, com medo de que desta vez sua voz não parecesse tão controlada.

— Sim. Ele pode influenciar você a sair da casa, digamos, ou deixar que ele entre. Mas a verbena deve evitar isso. — Stefan parecia cansado, mas satisfeito consigo mesmo.

Ah, Stefan, se você soubesse, pensou Elena. O presente chegou com uma noite de atraso. Apesar de todos os esforços dela, uma lágrima rolou, caindo nas folhas verdes e longas.

— Elena! — Ele ficou sobressaltado. — O que foi? Conte.

Ele tentava olhar no rosto dela, mas Elena baixou a cabeça, apertando-a no ombro dele. Stefan passou os braços em volta dela, sem tentar forçá-la a olhar para cima.

— Conte — repetiu ele suavemente.

Este era o momento. Se ela realmente fosse contar a ele, devia ser agora. A garganta de Elena estava ardida e inchada, e ela queria despejar todas as palavras que estavam presas ali.

Mas não conseguia. Não importa como, não vou deixar que elas me vençam, pensou ela.

— É só que... eu estava preocupada com você — ela conseguiu dizer. — Não sabia onde você estava, ou quando ia voltar.

— Eu devia ter contado. Mas é só isso? Não há mais nada perturbando você?

— É só isso. — Agora ela teria de pedir a Bonnie para jurar segredo sobre o corvo. Por que uma mentira sempre levava a outra? — O que devemos fazer com a verbena? — perguntou ela, voltando a se recostar na cadeira.

— Vou lhe mostrar esta noite. Depois que eu extrair o óleo das sementes, você pode esfregar na pele ou colocar na água do banho. Pode também fazer um sachê das folhas secas e carregar com você, ou colocá-lo embaixo do travesseiro à noite.

— É melhor dar a Bonnie e Meredith também. Elas vão precisar de proteção.

Ele assentiu.

— Por enquanto... — Ele quebrou um ramo e o colocou na mão dela — ... leve isto para a escola. Vou voltar ao pensionato para extrair o óleo. — Ele parou por um momento e depois falou. — Elena...

— Sim?

— Se eu pensasse que isso faria algum bem a você, eu iria embora. Não a exporia a Damon, mas não acho que ele vá me seguir se eu for; agora é tarde. Acredito que ele possa ficar... por sua causa.

— Nem *pense* em ir embora — disse ela com ferocidade, encarando-o. — Stefan, essa é a única coisa que não vou suportar. Prometa que não vai; por favor.

— Não vou deixar você sozinha com ele — disse Stefan, que não era bem a mesma coisa. Mas não tinha sentido pressioná-lo mais.

Em vez disso, ela o ajudou a acordar Matt e viu os dois partirem. Depois, com um ramo de verbena seca na mão, subiu para se preparar para a escola.

Bonnie bocejou durante todo o café da manhã e só acordou realmente quando as duas estavam do lado de fora, indo a pé para a escola com uma brisa fresca no rosto. O dia ia ser frio.

— Tive um sonho muito estranho esta noite — disse Bonnie.

O coração de Elena saltou. Ela já havia enfiado um ramo de verbena na mochila de Bonnie, bem no fundo, onde a amiga não pudesse perceber. Mas se Damon tivesse chegado a Bonnie na noite anterior...

— Sobre o quê? — disse ela, preparando-se.

— Sobre você. Eu vi você parada debaixo de uma árvore, o vento soprava. Por algum motivo, tive medo e não queria chegar mais perto. Você estava... diferente. Muito pálida, mas quase brilhando. E depois um corvo voou da árvore, você estendeu a mão e o pegou no ar. Você era tão rápida que era inacreditável. E depois olhou para mim, com essa expressão. Você sorria, mas me deu vontade de fugir. E aí você torceu o pescoço do corvo e ele morreu.

Elena ouviu tudo isso com um pavor crescente. Até que finalmente disse:

— Que sonho mais *revoltante*.

— É mesmo, né? — disse Bonnie, sossegada. — O que será que isso significa? Os corvos são aves de mau agouro nas lendas. Eles podem prever a morte.

— Deve significar que você sabia como eu estava perturbada, encontrando aquele corvo no quarto.

— Sim — disse Bonnie. — Só que tem uma coisa. Eu tive esse sonho *antes* de você acordar todo mundo aos gritos.

* * *

Na hora do almoço daquele dia havia outro pedaço de papel violeta no quadro de avisos da secretaria. Este, porém, dizia simplesmente: *OLHE NOS PESSOAIS.*

— Que pessoais? — disse Bonnie.

Meredith, que passava naquele momento com um exemplar de *Wildcat Weekly*, o jornal da escola, deu a resposta.

— Já viram isso? — disse ela.

Estava na seção de anúncios pessoais, completamente anônimo, sem saudação nem assinatura. *Não suporto a ideia de perdê-lo. Mas ele está muito infeliz com alguma coisa e, se ele não me contar o que é, se ele não confia tanto em mim, não vejo nenhuma esperança para nós.*

Lendo isso, Elena sentiu uma explosão de energia renovada em meio ao cansaço. Ah, Deus, ela odiava quem estava fazendo isso. Imaginava atirar na pessoa, esfaqueá-la, vê-la cair. E depois, nitidamente, ela imaginou outra coisa. Arrancar um punhado do cabelo da ladra e afundar os dentes num pescoço desprotegido. Era uma visão estranha e inquietante, mas no momento quase parecia real.

Ela percebeu Bonnie e Meredith olhando para ela.

— E então? — disse ela, sentindo-se meio desconfortável.

— Eu podia jurar que você não estava ouvindo — Bonnie suspirou. — Acabei de dizer que ainda assim não me parece Da... trabalho do assassino. Não parece que um homicida seria tão fútil.

— Por mais que eu odeie concordar, ela tem razão — disse Meredith. — Tem cheiro de alguém dissimulado. Alguém com rancor, que realmente quer fazer você sofrer.

A saliva se acumulava na boca de Elena e ela precisou engoli-la.

— Também alguém que está familiarizado com a escola. É preciso preencher um formulário para colocar um recado pessoal em uma das aulas de jornalismo — disse ela.

— E alguém que sabe que você tem um diário, supondo-se que o roubou de propósito. Talvez estivesse em uma das suas turmas no dia em que o trouxe para a escola. Lembra? Quando o Sr. Tanner quase pegou você — acrescentou Bonnie.

— Mas foi a Srta. Halpern que realmente me pegou; ela até leu parte dele em voz alta, um pouco sobre Stefan. Foi logo depois de Stefan e eu ficarmos juntos. Peraí um minuto, Bonnie! Naquela noite, na sua casa, quando o diário foi roubado, quanto tempo vocês duas ficaram fora da sala de estar?

— Só alguns minutos. Yangtze tinha parado de latir e eu fui até a porta para ele entrar e... — Bonnie apertou os lábios e deu de ombros.

— Então o ladrão tem que conhecer a sua casa — disse Meredith rapidamente —, ou não teria sido capaz de entrar, pegar o diário e sair antes que nós o víssemos. Muito bem, então, estamos procurando alguém dissimulado e cruel, que provavelmente frequenta uma de suas aulas, Elena, e muito provavelmente familiarizado com a casa de Bonnie. Alguém que tem rancor pessoal e fará o que for para atingir você... Ah, meu Deus.

As três se olharam.

— Só pode ser — cochichou Bonnie. — Só pode ser.

— Que idiotas nós somos; a gente devia ter percebido isso na hora — disse Meredith.

Para Elena, significou a percepção súbita de que toda a raiva que sentia por isso antes não era nada parecida com a raiva que era capaz de sentir. Uma vela ardendo perto do sol.

— Caroline — disse ela, e trincou os dentes com tanta força que o maxilar doeu.

Caroline. Elena sentia verdadeiramente que podia matar a menina de olhos verdes naquele momento. Podia ter corrido para tentar, se Bonnie e Meredith não a houvessem impedido.

— Depois da aula — disse Meredith com firmeza —, quando pudermos levá-la a um lugar reservado. Espere o momento certo, Elena.

Mas enquanto iam para o refeitório, Elena percebeu uma cabeça ruiva desaparecendo no corredor de música e arte. E ela se lembrou do que Stefan dissera no início do ano, sobre Caroline levá-lo para a sala de fotografia na hora do almoço. Para ter privacidade, Caroline dissera a ele.

— Vão vocês duas; esqueci uma coisa — disse ela assim que Bonnie e Meredith estavam com a comida nas bandejas do refeitório. Depois ela se fez de surda e andou rapidamente, voltando ao setor de artes.

Todas as salas estavam às escuras, mas a porta da sala de fotografia estava destrancada. Alguma coisa fez Elena girar a maçaneta com cautela e mover-se em silêncio depois de entrar, em vez de marchar para dentro para começar o confronto, como planejara. Será que Caroline estava ali? Se estivesse, o que ela estava fazendo sozinha no escuro?

De início, a sala parecia estar deserta. Depois Elena ouviu vozes murmuradas de um pequeno nicho nos fundos e viu que a porta da sala escura estava escancarada.

Em silêncio, furtivamente, ela andou até chegar à soleira da porta e os murmúrios se transformaram em palavras.

— Mas como podemos ter certeza de que vai ser ela que eles vão escolher? — Essa era Caroline.

— Meu pai é do conselho da escola. Eles vão escolhê-la, pode ter certeza. — E *esse* era Tyler Smallwood. O pai dele era advogado e tinha participação em todos os conselhos. — Além disso, quem mais seria? — continuou ele. — "O Espírito de Fell's Church" deve ser inteligente e bem constituída.

— E *eu* não sou inteligente, imagino?

— Eu disse isso? Olha, se quiser ser a única de vestido branco na parada do Dia dos Fundadores, tudo bem. Mas se quiser ver Stefan Salvatore fugir da cidade com base nas evidências do diário da namorada dele...

— Mas por que esperar tanto tempo?

Tyler ficou impaciente.

— Porque assim você vai estragar a comemoração também. A comemoração dos Fell. Por que eles têm o crédito pela fundação da cidade? Os Smallwoods chegaram aqui primeiro.

— Ah, quem liga para quem fundou a cidade? Só o que eu quero é ver Elena humilhada na frente da escola toda.

— E Salvatore. — O puro ódio e malícia na voz de Tyler deu arrepios em Elena. — Ele terá sorte se terminar enforcado numa árvore. Tem certeza de que as evidências estão lá?

— Quantas vezes tenho que explicar? Primeiro, diz que ela perdeu a fita em 2 de setembro no cemitério. Depois, diz que Stefan a pegou naquele dia e a guardou. A ponte Wickery fica bem ao lado do cemitério. Isso quer dizer que Stefan estava perto da ponte em 2 de setembro, na noite em que o velho foi atacado lá. Todo mundo já sabe que ele estava no local dos ataques da Vickie e do Tanner. O que mais você quer?

— Isso não se sustentaria num tribunal. Talvez eu deva conseguir algumas provas para corroborar. Tipo perguntar a Sra. Flowers a que horas ele chegou em casa naquela noite.

— Ah, e quem *liga*? A maioria das pessoas já acha que ele é culpado. O diário fala de algum segredo que ele esconde de todos. As pessoas vão entender a ideia.

— Está guardando num lugar seguro?

— Não, Tyler, estou guardando em cima da mesa de centro. Acha que sou tão idiota assim?

— Idiota o bastante para mandar bilhetes a Elena, dando dicas a ela. — Houve um farfalhar, como de jornal. — Olha só isso, é inacreditável. E tem que parar, *agora*. E se ela deduzir quem está fazendo isso?

— O que ela vai fazer, chamar a polícia?

— Ainda quero que você pare com isso. Espere até o Dia dos Fundadores, depois vai ver a Princesa de Gelo derreter.

— E dizer *ciao* a Stefan. Tyler... Ninguém vai machucá-lo, não é?

— E quem liga? — Tyler imitou o tom que Caroline assumiu antes. — Deixe isso comigo e com meus amigos, Caroline. Faça só a sua parte, está bem?

A voz de Caroline caiu a um murmúrio gutural.

— Convença-me. — Depois de uma pausa, Tyler riu.

Houve movimento, um farfalhar, um suspiro. Elena se virou e saiu da sala tão silenciosamente quanto tinha entrado.

Chegou ao corredor ao lado, depois se recostou nos armários ali, tentando pensar.

Era demais para absorver tudo ao mesmo tempo. Caroline, que fora no passado sua grande amiga, a traíra e queria vê-la humilhada na frente de toda a escola. Tyler, que sempre pareceu mais um idiota irritante do que uma ameaça verdadeira, planejava expulsar Stefan da cidade — ou matá-lo. E o pior de tudo era que eles usavam o diário da própria Elena para fazer isso.

Agora ela entendia o início dc sonho que teve na noite anterior. Um sonho parecido com esse um dia antes de descobrir que Stefan estava desaparecido. Nos dois, Stefan a fitava com olhos coléricos e incriminadores, e depois atirara um livro aos pés de Elena e se afastara.

Não era um livro. Era seu diário. Que tinha evidências que podiam ser mortais para Stefan. Por três vezes pessoas em Fell's Church foram atacadas, e por três vezes Stefan estava na cena. O que pareceria à cidade, à polícia?

E não havia como saber a verdade. Suponha que ela dissesse, "Stefan não é o culpado. É o irmão dele, Damon, que o odeia e sabe o quanto Stefan odeia até mesmo a ideia de ferir e matar. E que seguiu Stefan pelo mundo e atacou as pessoas para que Stefan pensasse que talvez tivesse feito isso, para enlouquecê-lo. E que está aqui na cidade *em algum lugar* — procurem por ele no cemitério ou no bosque. Mas, ah, a propósito, não procurem um sujeito bonito, porque no momento ele pode ser um corvo.

"Aliás, ele é um vampiro."

Nem ela acreditava em si mesma. Era ridículo.

Uma fisgada na lateral do pescoço a lembrou de como a história ridícula era séria. Ela se sentia estranha hoje, quase como se estivesse doente. Era mais do que só tensão e privação de sono. Estava meio tonta e às vezes o chão parecia esponjoso, cedendo sob seus pés e voltando a subir. Sintomas de gripe, só que Elena tinha certeza de que não tinham a ver com nenhum *vírus* em seu sangue.

Culpa de Damon, de novo. Tudo era culpa de Damon, menos o diário. Ela não tinha ninguém para culpar por isso, só a si mesma. Se não tivesse escrito sobre Stefan, se não tivesse levado o diário para a escola... Se ao menos ela não o tivesse deixado na sala de Bonnie. Se. Se.

Naquele momento, só o que importava era que Elena precisava pegá-lo de volta.

10

O sinal tocou. Não havia tempo para voltar ao refeitório e contar a Bonnie e Meredith. Elena foi para a aula seguinte, passando pelos rostos que a evitavam e os olhares hostis que estavam se tornando muito familiares ultimamente.

Na aula de história, foi difícil não encarar Caroline, não deixar que ela percebesse que Elena sabia. Alaric perguntou sobre Matt e Stefan — ausentes pelo segundo dia consecutivo — e Elena deu de ombros, sentindo-se exposta como se em uma vitrine, à mercê dos olhares de todos. Não confiava neste homem de sorriso juvenil, olhos castanhos e com tanta sede de saber sobre a morte do Sr. Tanner. E Bonnie, que simplesmente olhava para Alaric toda sentimental, não ajudava em nada.

Depois da aula, ela pegou um trecho de conversa de Sue Carson. "... ele está de férias na faculdade... esqueci exatamente onde..."

Elena estava farta do silêncio discreto. Girou o corpo e falou diretamente com Sue e a menina que, tal como ela, metia-se na conversa sem ter sido convidada.

— Se eu fosse você — disse ela a Sue —, ficaria longe de Damon. Estou falando sério.

Houve um riso constrangido e sobressaltado. Sue era uma das poucas pessoas na escola que não evitava Elena e agora dava a impressão de querer ter feito isso.

— Quer dizer — disse a outra menina hesitante — porque ele é seu também? Ou...

A risada de Elena foi áspera.

— Quero dizer porque ele é *perigoso* — disse ela. — E não estou brincando.

As duas se limitaram a olhar para ela. Elena as poupou do constrangimento a mais de ter de responder ou se afastar educadamente, então deu meia-volta e foi embora. Ela arrancou Bonnie das garras das tietes de Alaric depois da aula e foi para o armário de Meredith.

— Aonde estamos indo? Pensei que a gente ia conversar com Caroline.

— Não vamos mais — disse Elena. — Espere até a gente chegar em casa. Depois conto o porquê.

— Não acredito — disse Bonnie uma hora depois. — Quero dizer, acredito, mas não *acredito*. Nem mesmo sobre Caroline.

— É Tyler — disse Elena. — Os grandes planos são dele. E ainda dizem que os homens não se interessam por diários.

— Na verdade, a gente deve agradecer a ele — disse Meredith. — Graças a ele, pelo menos temos até o Dia dos Fundadores para agirmos a respeito disso. Por que você disse que devia ser no Dia dos Fundadores, Elena?

— Tyler tem algo contra os Fell.

— Mas todos eles estão mortos — disse Bonnie.

— Bom, isso não parece importar para Tyler. Lembro que ele falou disso no cemitério também, quando a gente estava procurando o túmulo deles. Ele acha que roubaram o lugar de direito dos seus ancestrais como fundadores da cidade ou algo assim.

— Elena — disse Meredith em tons sério —, tem mais alguma coisa no diário que possa atingir Stefan? Além da história sobre o velho, quero dizer.

— Isso não basta? — Com aqueles olhos escuros e fixos nela, Elena sentiu o desconforto palpitar entre as costelas. O que Meredith estava perguntando?

— Basta para expulsar Stefan da cidade, como eles disseram — concordou Bonnie.

— Caroline disse que estava escondido num lugar seguro. O que deve significar a casa dela. — Meredith mordia o lábio, pensativa. — Ela só tem um irmão no primeiro ano, não é? E a mãe dela não trabalha, mas sempre vai fazer compras em Roanoke. Eles ainda têm empregada?

— Por quê? — disse Bonnie. — Que diferença isso faz?

— Bom, não vamos querer ninguém entrando enquanto estivermos roubando a casa.

— Enquanto estivermos *o quê?* — A voz de Bonnie subiu a um guincho. — Não pode estar falando sério!

— E o que a gente vai fazer, ficar sentada e esperar até o Dia dos Fundadores e deixar que ela leia o diário de Elena na frente de toda a cidade? *Ela* roubou o diário da *sua* casa. Temos que roubar de volta — disse Meredith, tão calma que parecia louca.

— Vamos ser apanhadas. Seremos expulsas da escola... Se não acabarmos na cadeia. — Bonnie se virou para Elena, apelando a ela. — Diga a ela, Elena.

— Bom... — Com toda franqueza, a perspectiva deixou a própria Elena meio nauseada. Não era tanto a ideia de expulsão, nem da cadeia, mas a ideia de ser pega em flagrante. A expressão altiva da Sra. Forbes flutuou diante de seus olhos, cheia de indignação justificada. Depois mudou para a de Caroline, rindo com desdém enquanto a mãe apontava um dedo acusador para Elena.

Além disso, parecia uma... *violação*, entrar na casa de alguém quando não havia ninguém lá, vasculhar suas posses. Ela odiaria se alguém fizesse isso com ela.

Mas é claro que alguém tinha feito. Caroline violara a casa de Bonnie e neste exato momento tinha nas mãos a posse mais particular de Elena.

— Vamos fazer isso — disse Elena em voz baixa. — Mas precisamos ter cuidado.

— Não podemos conversar sobre isso? — disse Bonnie baixinho, olhando a expressão determinada de Meredith para a de Elena.

— Não há nada sobre o que conversar. Você vai — disse-lhe Meredith. — Você prometeu — acrescentou ela enquanto Bonnie expirava para objetar novamente. Ela ergueu o indicador.

— O juramento de sangue era só para ajudar Elena a *conseguir* Stefan! — exclamou Bonnie.

— Pense bem — disse Meredith. — Você jurou que faria o que Elena pedisse com relação a Stefan. Não dizia nada sobre limitações de tempo ou sobre "só até Elena conseguir o cara".

O queixo de Bonnie despencou. Ela olhou para Elena, que quase ria a contragosto.

— É verdade — disse Elena solenemente. — E você mesma disse: "Jurar com sangue significa que você tem que se prender ao juramento, não importa o que acontecer."

Bonnie fechou a boca e empinou o queixo.

— Tudo bem — disse ela de mau humor. — Agora estou presa pelo resto da minha vida a fazer o que Elena quiser que eu faça com relação ao Stefan. Que maravilha.

— Esta será a última coisa que vou pedir — disse Elena. — E eu *prometo*. Juro...

— Não! — disse Meredith, tornando-se séria de repente. — Não jure, Elena. Pode se arrepender depois.

— Agora você está fazendo profecias também? — disse Elena. E depois perguntou: — Como vamos conseguir a chave da casa de Caroline por mais ou menos uma hora?

Sábado, 9 de novembro

Querido Diário,

Desculpe por demorar tanto. Ultimamente ando ocupada demais ou deprimida demais — ou as duas coisas — para escrever.

Além disso, com tudo o que aconteceu, estou quase com medo de continuar a ter um diário. Mas eu preciso *me voltar para alguém*, porque agora não há um único ser humano, nem uma pessoa na Terra, de quem eu não guarde algum segredo.

Bonnie e Meredith não podem saber a verdade sobre Stefan. Stefan não pode saber a verdade sobre Damon. Tia Judith não pode saber de nada. Bonnie e Meredith sabem sobre Caroline e o diário; Stefan não sabe. Stefan sabe sobre a verbena que uso agora todo dia; Bonnie e Meredith, não — embora eu tenha dado às duas sachês cheios da coisa. A parte boa: parece funcionar, ou pelo menos não fiquei sonâmbula desde aquela noite. Mas seria uma mentira dizer que não tenho sonhado com Damon. Ele está em todos os meus pesadelos.

Agora minha vida está cheia de mentiras e preciso de alguém *com quem ser totalmente sincera*. Vou esconder esse diário debaixo da tábua solta no armário, para que ninguém encontre mesmo que eu caia morta e eles limpem meu quarto. Talvez um dia, quando um dos netos de Margaret vá brincar ali, e cutucar a tábua e puxar, mas até lá, ninguém. Este diário é meu último segredo.

Não sei por que estou pensando em morte e em morrer. Isso é maluquice da Bonnie; é ela que pensa que seria muito romântico. Eu sei como é; não havia nada de romântico nela quando a mamãe e o papai morreram. Só os piores sentimentos do mundo. Quero viver por um bom tempo, casar com Stefan e ser feliz.

E não há motivos para não poder fazer isso, depois que todos esses problemas ficarem para trás.

Só que há vezes em que eu fico com medo e não acredito nisso. E há umas coisinhas que não deviam importar, mas me incomodam. Como por que Stefan usa o anel de Katherine no pescoço, embora eu saiba que ele me ama. Como por que ele nunca disse que me ama, embora eu saiba que é verdade.

Isso não importa. Tudo vai dar certo. Tem que dar certo. E depois vamos ficar juntos e ser felizes. Não há motivos para não podermos. Não há motivos para não podermos. Não há motivo...

Elena parou de escrever, tentando manter as letras da página em foco. Mas elas ficaram ainda mais borradas e ela fechou o caderno antes que uma lágrima traidora caísse na tinta. Depois foi até o armário, puxou a tábua solta com uma lixa de unha e deixou o diário ali.

Ela estava com a lixa de unha no bolso uma semana depois, quando as três, ela, Bonnie e Meredith, estavam do lado de fora da porta dos fundos da casa de Caroline.

— Rápido — sibilou Bonnie, agoniada, olhando o quintal como se esperasse que alguma coisa saltasse para elas. — Anda, Meredith!

— Pronto — disse Meredith quando a chave finalmente girou para o lado certo na tranca e a maçaneta cedeu nos dedos que viravam. — Estamos dentro.

— Tem certeza de que *eles* não estão aí? Elena, e se eles voltarem mais cedo? Por que não fazemos isso à luz do dia, pelo menos?

— Bonnie, vai *entrar* ou não? Nós já repassamos tudo isso. A empregada sempre está aqui de dia. E eles só vão voltar mais cedo se alguém vomitar no Chez Louis. Agora, entra! — disse Elena.

— Ninguém se atreveria a vomitar no jantar de aniversário do Sr. Forbes — disse Meredith num tom reconfortante para Bonnie enquanto a menina mais baixa entrava. — Estamos seguras.

— Se eles têm dinheiro para ir a restaurantes caros, é de se pensar que podem pagar para deixar algumas luzes acesas — disse Bonnie, recusando-se a ser tranquilizada.

No fundo, Elena concordava com isso. Era estranho e desconcertante ficar andando na casa de outra pessoa no escuro, o coração dela martelava de um jeito sufocante enquanto subiam a escada. A palma de sua mão, agarrada na lanterninha que mostrava o caminho, estava molhada e escorregadia. Mas apesar desses sintomas físicos de pânico, a mente de Elena ainda operava com frieza, quase a distância.

— Tem que ser no quarto dela — disse Elena.

A janela de Caroline dava para a rua, o que significava que elas tinham de ser ainda mais cuidadosas para não revelar luz alguma ali. Elena girou o facho de luz mínimo pelo quarto com desânimo. Uma coisa era planejar dar uma busca no quarto de alguém, imaginar com eficiência e método vasculhar as gavetas. Outra, bem diferente, era realmente estar lá, cercada pelo que pareciam milhares de lugares para esconder alguma coisa, com medo de tocar em algo para Caroline não perceber que tinha sido revirado.

As outras duas meninas ainda estavam imóveis.

— Talvez a gente deva ir para casa — disse Bonnie baixinho. E Meredith não a contradisse.

— Precisamos tentar. Pelo menos tentar — disse Elena, ouvindo como sua voz soava mínima e oca. Ela abriu uma gaveta no camiseiro e acendeu a lanterna nas pilhas organizadas de calcinhas de renda. Uma espiada rápida foi o bastante para garantir que não havia nenhum livro ali. Ela endireitou as pilhas e fechou a gaveta. Depois soltou a respiração.

— Não é assim tão difícil — disse ela. — O que precisamos fazer é dividir o quarto e procurar *tudo* em nossa seção, cada gaveta, cada móvel, cada objeto grande o bastante para esconder um diário.

Ela atribuiu o armário a si mesma e a primeira coisa que fez foi sondar as tábuas do piso com a lixa de unha. Mas as tábuas de Caroline pareciam firmes e as paredes, bem sólidas. Vasculhando as roupas de Caroline, ela encontrou várias coisas que tinha emprestado à menina no ano anterior. Ficou tentada a levar de volta, mas é claro que não podia fazer isso. Uma busca nos sapatos e nas bolsas não revelou nada, mesmo quando ela arrastou uma cadeira para investigar completamente a prateleira de cima do armário.

Meredith estava sentada no chão, examinando uma pilha de bichos de pelúcia que tinham sido relegados a uma arca com outras lembranças da infância. Ela passou os dedos longos e sensíveis em cada um, procurando por fendas no tecido. Quando chegou ao poodle de pelúcia, ela parou.

— Eu dei isso a ela — sussurrou Meredith. — Acho que no aniversário de 10 anos. Pensei que ela tivesse jogado fora.

Elena não podia ver seus olhos; a lanterna de Meredith estava voltada para o poodle. Mas ela sabia como a amiga se sentia.

— Tentei fazer as pazes com ela — disse Elena suavemente.

— Eu tentei, Meredith, na Casa Mal-Assombrada. Mas ela deixou muito claro que nunca me perdoará por tirar Stefan dela. Eu queria que as coisas fossem diferentes, mas ela não quer que sejam assim.

— Então agora é guerra.

— Então agora é guerra — disse Elena, categórica e definitiva. Ela olhou enquanto Meredith colocava o poodle de lado e pegava o bicho seguinte. Depois voltou às próprias buscas.

Mas ela não teve melhor sorte com a cômoda do que com o armário. E a cada momento que passava, ela se sentia mais inquieta, mais certa de que estavam prestes a ouvir um carro parando na entrada dos Forbes.

— É inútil — disse Meredith por fim, apalpando por baixo do colchão de Caroline. — Ela deve ter escondido... Espere. Tem alguma coisa aqui. Estou sentindo uma quina.

Elena e Bonnie encararam, de lados opostos do quarto, imediatamente encararam Meredith, temporariamente paralisadas.

— Peguei. Elena, é um diário!

O alívio tomou conta de Elena e ela se sentiu como um pedaço amassado de papel sendo endireitado e alisado. Conseguiu se mexer de novo. Era maravilhoso respirar. Ela sabia, sabia o tempo todo que nada de *realmente* terrível podia acontecer a Stefan. A vida não podia ser tão cruel, não com Elena Gilbert. Eles agora estavam seguros.

Mas a voz de Meredith era confusa.

— É um diário. Mas é verde, e não azul. É o diário errado.

— *Como é?* — Elena pegou o livrinho, lançando a lanterna nele, tentando fazer com que o verde esmeralda da capa mudasse para azul safira. Não deu certo. Este diário era quase igual, mas não era o dela.

— É de Caroline — disse ela estupidamente, ainda sem querer acreditar.

Bonnie e Meredith se aproximaram. Todas olharam o livro fechado, depois uma para a outra.

— Pode ter pistas — disse Elena lentamente.

— É verdade — concordou Meredith. Mas foi Bonnie quem realmente pegou o diário e o abriu.

Elena olhou por sobre o ombro para a letra fina e inclinada para trás de Caroline, tão diferente das letras firmes dos bilhetes roxos. De início seus olhos não focalizaram, mas depois um nome saltou aos olhos dela. *Elena.*

— Peraí, o que é isso?

Bonnie, que era quem estava em condições de ler mais de uma ou duas palavras, ficou em silêncio por um momento, os lábios se mexendo. Depois bufou.

— Escutem só — disse ela e leu: — "Elena é a pessoa mais egoísta que já conheci. Todo mundo acha que ela é toda certinha, mas na verdade é só frieza. É patético como as pessoas puxam o saco dela, nunca percebem que ela não dá a mínima para ninguém nem nada, só para Elena."

— *Caroline* disse isso? Olha quem fala! — Mas Elena podia sentir o calor subir à face. Era praticamente o que Matt disse quando ela estava atrás de Stefan.

— Continua, tem mais — disse Meredith, cutucando Bonnie, que prosseguiu numa voz ofendida.

— "Ultimamente, Bonnie tem sido quase tão ruim quanto ela, sempre tentando se fazer de importante. A última novidade é fingir que é paranormal, para as pessoas prestarem atenção nela. Se ela fosse *mesmo* paranormal, teria deduzido que Elena apenas a usa."

Houve uma densa pausa, depois Elena disse:

— É só isso?

— Não, tem um pouco sobre Meredith. "Meredith não faz nada para impedir isso. Na verdade, Meredith não *faz nada*; ela só olha. É como se não pudesse agir; ela só pode reagir às coisas. Além disso, ouvi meus pais falando sobre a família dela — não admira que ela nunca tenha falado neles." O que ela quis dizer com isso?

Meredith não se mexeu e Elena podia ver só seu pescoço e queixo na luz fraca. Mas ela falou baixo e calmamente.

— Isso não importa. Continue lendo, Bonnie, procure alguma coisa sobre o diário de Elena.

— Tente em 18 de outubro. Foi quando ele foi roubado — disse Elena, deixando as indagações de lado. Perguntaria a Meredith depois.

Não havia entrada para 18 de outubro, nem para o fim de semana seguinte; na verdade, só havia algumas poucas entradas para as semanas seguintes. Nenhuma delas falava no diário.

— Bom, então é isso — disse Meredith, sentando-se. — Isto aqui é algo inútil. A não ser que a gente queira chantagear *Caroline*. Sabe como é, não mostramos o dela se ela não mostrar o seu.

Era uma ideia tentadora, mas Bonnie localizou uma falha.

— Não há nada de ruim sobre Caroline aí; ela só reclama dos outros. Principalmente da gente. Aposto que Caroline ia *adorar* ter isso lido em voz alta na frente da escola toda. Ela ia ganhar o dia.

— E o que vamos fazer com isso?

— Coloque no lugar — disse Elena, cansada. Ela girou a lanterna pelo quarto, que pareceu a seus olhos estar cheio de diferenças sutis de quando elas entraram. — Vamos ter que continuar fingindo que não sabemos que ela tem meu diário e esperar por outra oportunidade.

— Tudo bem — disse Bonnie, mas continuou folheando o caderninho, de vez em quando dando vazão a um bufo ou silvo de indignação. — Vocês têm que ouvir essa! — exclamou ela.

— Não temos tempo — disse Elena. Ela teria dito outra coisa, mas naquele momento Meredith falou, o tom exigindo a atenção imediata de todas.

— Um carro.

Foi preciso só um segundo para ter certeza de que o veículo estava parando na entrada dos Forbes. Os olhos de Bonnie se arregalaram e a boca se escancarou, ficando tão redonda que ela parecia estar paralisada, ajoelhada ao lado da cama.

— Anda! Anda — disse Elena, tirando o diário dela. — Apaguem as lanternas e saiam pela porta dos fundos.

Elas já estavam em movimento, Meredith empurrando Bonnie para frente. Elena caiu de joelhos e ergueu a colcha, puxando o colchão de Caroline para cima. Com a outra mão, empurrou o diário para frente, alojando-o entre o colchão e o estrado empoeirado. As molas mal cobertas beliscaram debaixo do seu braço, mas pior ainda foi o peso do colchão *queen-size* descendo nela. Ela deu mais uns cutucões no livro com a ponta dos dedos e tirou o braço, ajeitando a colcha no lugar.

Ela deu uma última olhada desvairada pelo quarto ao sair; agora não havia tempo para ajeitar nada. Enquanto andava rapidamente e em silêncio para a escada, ela ouviu uma chave na porta da frente.

O que se seguiu foi uma espécie de jogo apavorante de pique-esconde. Elena sabia que eles não estavam deliberadamente atrás dela, mas a família Forbes parecia decidida a deixá-la encurralada em sua casa. Ela voltava por onde havia entrado quando vozes e luzes se materializaram no hall e pessoas subiram a escada. Elena fugiu deles e entrou na última porta do corredor, e eles pareciam segui-la. Eles andavam pelo mezanino; estavam bem ao lado da suíte master. Ela se virou para o banheiro adjacente, mas viu luzes por baixo da porta, cortando sua rota de fuga.

Elena estava presa. A qualquer momento os pais de Caroline podiam entrar. Ela viu as janelas francesas que davam para uma sacada e tomou a decisão imediatamente.

Do lado de fora, o ar era frio e a respiração ofegante de Elena era algo evidente. Uma luz amarela explodiu do quarto ao lado dela e ela se aninhou ainda mais para a esquerda, desviando o caminho. Depois, o som que ela tanto temia veio seguido de uma clareza terrível: o estalo de uma maçaneta na porta, seguido pelo ondular de cortinas sendo puxadas enquanto as janelas eram abertas.

Ela olhou freneticamente em volta. Era alto demais para pular dali e não havia nada em que pudesse se agarrar para descer. Só restava a Elena o telhado, mas também não havia por onde subir. Ainda assim, um instinto a fez tentar, e ela estava na grade da sacada, tateando onde se segurar, quando uma sombra apareceu nas cortinas finas. A mão as separou, uma figura começou a surgir e Elena sentiu algo segurando sua mão, fechando-se em seu punho e içando-a para cima. Automaticamente, Elena tomou impulso com os pés e sentiu o corpo subir em direção ao telhado. Tentando acalmar a respiração entrecortada, ela olhou agradecida para ver quem a havia resgatado — e ficou paralisada.

11

 nome é Salvatore. De salvador — disse ele. Houve um breve clarão de dentes brancos no escuro.

Elena olhou para baixo. A projeção do telhado obscurecia a sacada, mas ela podia ouvir um farfalhar abaixo. Mas não eram sons de perseguição, e não havia sinal de que as palavras de seu companheiro tinham sido ouvidas. Um minuto depois, ela ouviu as janelas francesas se fecharem.

— Pensei que fosse Smith — disse ela, ainda olhando o escuro abaixo.

Damon riu. Era um riso terrivelmente envolvente, sem a amargura de Stefan. Fez com que Elena pensasse nas luzes de arco-íris das penas do corvo.

Entretanto, ela não estava iludida. Por mais encantador que parecesse, Damon era perigoso, quase além da imaginação.

Aquele corpo gracioso e sensual era dez vezes mais forte do que um corpo humano. Aqueles olhos escuros indolentes eram adaptados para enxergar perfeitamente à noite. A mão de dedos longos que a puxaram para o telhado podia se mover com uma velocidade inacreditável. E, o mais perturbador de tudo, a mente dele era a mente de um assassino. Um predador.

Ela podia sentir isso sob a superfície de Damon. Ele era *diferente* de um ser humano. Tinha vivido por tanto tempo caçando e matando que se esquecera de qualquer outra maneira de viver. E ele gostava disso, não reprimia sua natureza, como fazia Stefan, mas se rejubilava nela. Ele não tinha moral nem consciência e ela estava presa ali, com este homem, no meio da noite.

Ela se acomodou sobre um calcanhar, pronta para pular a qualquer minuto. Agora devia sentir raiva, depois do que ele fez nos sonhos. Ela estava com raiva, mas não fazia sentido expressá-la. Ele sabia que ela devia estar furiosa, e só teria rido se ela dissesse isso a ele.

Ela o observou em silêncio, atenta, esperando pelo próximo movimento.

Mas ele não se mexeu. Aquelas mãos que podiam disparar com a rapidez de serpentes num bote pousavam imóveis nos joelhos. A expressão de Damon a lembrava de como ele olhou para ela antes. Na primeira vez em que se viram, ela viu o mesmo respeito retraído e reluctante em seus olhos — só que na época havia também surpresa. Agora não havia nada.

— Não vai gritar para mim? Nem desmaiar? — disse ele, como quem oferece opções-padrão.

Elena ainda o observava. Ele era muito mais forte do que ela e bem mais veloz, mas, se ela precisasse, achava que podia chegar à beira do telhado antes que ele a alcançasse. Era uma queda de nove metros se ela errasse a sacada, mas podia decidir a se arriscar. Tudo dependia de Damon.

— Não vou desmaiar — disse ela asperamente. — E por que eu deveria gritar? Estamos fazendo um jogo. Fui idiota esta noite e perdi. Você me avisou no cemitério sobre as consequências.

Os lábios de Damon se separaram num respirar rápido e ele se virou.

— Eu podia fazer de você minha Rainha das Trevas — disse ele, e, falando quase consigo mesmo, continuou: — Tive muitas companheiras, garotas jovens como você e mulheres que eram as beldades da Europa. Mas *você* é aquela que quero ter ao meu lado, para dominar e ter o que quisermos, quando quisermos. Temidos e venerados por todas as almas mais fracas. Seria assim tão ruim?

— Eu *sou* uma das almas mais fracas — disse Elena. — E você e eu somos inimigos, Damon. Jamais seremos outra coisa.

— Tem certeza? — Ele a olhou, e ela podia sentir o poder de sua mente tocando a dela, como o roçar daqueles dedos longos. Mas não houve vertigem, nenhuma sensação de fraqueza ou de que ia sucumbir. Esta tarde ela tomou um longo banho quente, como sempre fazia ultimamente, numa banheira salpicada de verbena seca.

Os olhos de Damon faiscaram de compreensão, mas ele levou o revés com elegância.

— O que está fazendo aqui? — disse ele despreocupadamente.

Era estranho, mas ela não sentia necessidade de mentir para
ele.

— Caroline pegou algo que pertence a mim. Um diário.
Vim pegá-lo de volta.

Um novo brilho lampejou nos olhos escuros.

— Sem dúvida para proteger meu irmão inútil de alguma
maneira — disse ele, irritado.

— Stefan não está envolvido nisso!

— Ah, não está? — Ela teve medo de ele entender mais do
que ela pretendia. — Que estranho, ele sempre me parece envolvido quando há problemas. Ele *cria* problemas. Agora, se
ele saísse da história...

Elena falou com a voz firme.

— Se machucar Stefan de novo, eu farei com que lamente.
Vou encontrar uma maneira de fazer você se arrepender, Damon. Estou falando sério.

— Entendo. Bom, então, terei de trabalhar em *você*, não é?

Elena não disse nada. Ela mesma se encurralou, concordando em fazer esse jogo mortal de Damon de novo. Elena virou
o rosto.

— Eu a terei no fim, sabe disso — disse ele delicadamente.
Era a voz que ele usou na festa, quando disse "calma, calma".
Agora não havia deboche nem malícia; ele simplesmente de-
clarava um fato. — Por bem ou por mal, como dizem... esta é
uma ótima expressão... você será minha antes do cair da próxima neve.

Elena tentou esconder o medo que sentia, mas sabia que ele percebera de qualquer forma.

— Ótimo — disse ele. — Você tem algum juízo. Tem razão em ter medo de mim; sou a coisa mais perigosa que vai encontrar na vida. Mas agora tenho uma proposta de negócio para fazer a você.

— Uma proposta de *negócio*?

— Exatamente. Você veio aqui pegar um diário. Mas não conseguiu. — Ele indicou as mãos vazias de Elena. — Fracassou, não foi? — Elena não respondeu e ele continuou: — E como você não quer meu irmão *envolvido*, ele não pode ajudá-la. Mas eu posso. E o farei.

— Vai me ajudar?

— É claro. Por um preço.

Elena o encarou. O sangue ardeu em seu rosto. Quando conseguiu pronunciar alguma coisa, as palavras saíram num sussurro.

— Que... *preço*?

Um sorriso se acendeu na escuridão.

— Alguns minutos de seu tempo, Elena. Algumas gotas de seu sangue. Mais ou menos uma hora comigo, a sós.

— Seu... — Elena não conseguiu encontrar a palavra certa. Todo epíteto que conhecia era brando demais.

— Eu a terei, por fim — disse ele num tom racional. — Se você for franca, vai admitir isso a si mesma. A última vez não foi a última. Por que teima em não aceitar isso? — A voz dele caiu a um timbre caloroso e íntimo. — Lembra...

— Prefiro cortar minha garganta — disse ela.

— Uma ideia intrigante. Mas posso fazer isso de uma forma muito mais agradável.

Ele ria para ela. De algum modo, acima de todo o resto naquele dia, aquilo foi demais.

— Você é nojento, sabia? — disse ela. — É de dar náuseas. — Ela agora tremia e não conseguia respirar. — Vou morrer antes de ceder a você. Prefiro...

Elena não sabia o que dava nela. Quando estava com Damon, era dominada por uma espécie de instinto. E nesse momento sentia que preferia arriscar tudo a deixar que ele vencesse. Ela percebeu, com metade da mente, que ele estava recostado, relaxado, desfrutando da guinada que o jogo assumia. A outra metade de sua mente calculava a distância entre o telhado e a sacada.

— Prefiro fazer isso — disse ela, e se atirou.

Elena tinha razão; ele foi pego de guarda baixa e não se moveu com rapidez suficiente para impedi-la. Ela sentiu o espaço vazio abaixo de seus pés e o terror a dominando ao perceber que a sacada ficava mais abaixo do que pensara. Ela ia errar o alvo.

Mas ela não incluíra Damon nos cálculos. A mão dele se estendeu, não rápido o bastante para mantê-la no telhado, mas para evitar que caísse ainda mais. Era como se seu peso não fosse nada para ele. Por reflexo, Elena agarrou a borda do telhado e tentou erguer o joelho.

A voz dele foi tomada pela fúria.

— Sua *tola*! Se está ansiosa para encontrar a morte, posso apresentá-la a você.

— Solte-me — disse Elena entredentes. Alguém ia aparecer na sacada a qualquer minuto, Elena tinha certeza disso.

— *Solte-me.*

— Aqui e agora? — Encarando aqueles olhos negros e insondáveis, ela percebeu que ele falava sério. Se ela dissesse sim, ele a largaria.

— Seria uma maneira rápida de terminar as coisas, não é? — perguntou. Seu coração martelava de medo, mas ela se recusou a permitir que ele visse isso.

— Mas que desperdício. — Com um único movimento, ele a colocou em segurança. Para si mesmo. Os braços dele se estreitaram ao redor de Elena, apertando-a à firmeza magra de seu corpo, e de repente ela não conseguiu ver nada. Estava embrulhada. Depois sentiu aqueles músculos rígidos se preparando como os de um grande felino, e os dois se atiraram no espaço.

Ela estava caindo. Não conseguiu deixar de se agarrar a ele como a única coisa sólida no mundo em disparada. Depois ele pousou, como um gato, absorvendo facilmente o impacto.

Stefan havia feito algo parecido uma vez. Mas Stefan não a segurou desta forma depois, dolorosamente perto, com os lábios quase em contato com os dela.

— Pense em minha proposta — pediu ele.

Ela não conseguia se mexer nem virar o rosto. E desta vez Elena sabia que não era o Poder que ele usava, mas simplesmente a atração desenfreada que havia entre os dois. Era inútil negar isso; seu corpo reagia ao dele. Ela podia sentir a respiração de Damon nos próprios lábios.

— Não preciso de você para nada — disse a ele.

Ela pensou que Damon ia beijá-la, mas ele não o fez. Acima deles houve o som de janelas se abrindo e uma voz colérica na sacada.

— Ei! O que está havendo aí? Tem alguém aí fora?

— Desta vez eu fiz apenas um favor — disse Damon, muito suavemente, ainda a envolvendo em seus braços. — Da próxima, eu vou cobrar.

Ela não teria virado a cabeça. Se ele tentasse beijá-la naquela hora, ela teria deixado. Mas de repente a dureza de seus braços se derreteu em volta dela e o rosto dele pareceu se toldar. Era como se a escuridão o levasse de volta. Depois asas negras bateram no ar e um corvo imenso estava voando.

Alguma coisa, um livro ou sapato, foi atirada nele da sacada. Errou por um metro.

— Malditos pássaros — disse a voz do Sr. Forbes no alto. — Devem estar fazendo ninho no telhado.

Tremendo, com os braços em volta do corpo, Elena se escondeu no escuro abaixo até que ele voltou para dentro.

Elena encontrou Meredith e Bonnie agachadas perto do portão.

— Por que demorou tanto? — sussurrou Bonnie. — Pensamos que tivesse sido flagrada!

— Quase fui. Tive de ficar até que fosse seguro. — Elena estava tão acostumada a mentir sobre Damon que já fazia isso sem muito esforço. — Vamos para casa — cochichou ela. — Não podemos fazer mais nada.

Quando elas se separaram na porta da casa de Elena, Meredith disse:

— Só faltam duas semanas para o Dia dos Fundadores.

— Eu sei. — Por um momento a proposta de Damon passeou na mente de Elena. Mas ela sacudiu a cabeça, para clareála. — Vou pensar em alguma coisa até lá — disse ela.

Na escola, no dia seguinte, Elena não tinha pensado em nada. O único fato estimulante era que Caroline não pareceu ter dado por falta de nada em seu quarto — mas esse era *todo* o estímulo que Elena pôde encontrar para se encorajar. Havia uma reunião naquela manhã, em que foi anunciado que o conselho escolar escolhera Elena como a aluna para representar "O Espírito de Fell's Church". Durante todo o discurso do diretor, o sorriso de Caroline tinha fulgurado, triunfante e malicioso.

Elena tentou ignorá-lo. Fez o máximo que pôde para ignorar o desprezo e o desdém que vieram na esteira da reunião, mas não foi fácil. Nunca era fácil, e havia dias em que ela pensava que ia bater em alguém ou só começar a gritar, mas até agora conseguira se controlar.

Naquela tarde, esperando que acabasse a aula de história do sexto tempo, Elena examinou Tyler Smallwood. Desde que voltara à escola, ele não dirigiu nem uma palavra a ela. Ele sorriu de um jeito tão desagradável quanto Caroline durante o anúncio do diretor. Agora, ao ver Elena sozinha, ele cutucou Dick Carter com o cotovelo.

— O que é aquilo ali? — disse ele. — Um chá de cadeira?

Stefan, onde você está?, pensou Elena. Mas ela sabia a resposta a isso. Do outro lado da escola, na aula de astronomia.

Dick abriu a boca para dizer alguma coisa, mas sua expressão mudou. Ele olhava para além de Elena, para o corredor. Elena se virou e viu Vickie.

Vickie e Dick namoravam antes do Baile de Reencontro. Elena achava que eles ainda estavam juntos. Mas Dick parecia inseguro, como se não tivesse certeza do que esperar da menina que andava na direção dele.

Havia algo estranho na expressão de Vickie, no jeito que ela andava. Ela se movia como se os pés não tocassem o chão. Seus olhos estavam dilatados e sonhadores.

— E aí — disse Dick inseguro, dando um passo na frente dela. Vickie passou por ele sem nem o olhar e se dirigiu a Tyler. Elena viu o que aconteceu em seguida com uma inquietude crescente. Devia ser engraçado, mas não era.

Tudo começou com Tyler ficando meio confuso. Depois Vickie pôs a mão em seu peito. Ele sorriu, mas havia algo de forçado nisso. Vickie deslizou a mão sob o casaco dele. O sorriso de Tyler vacilou. Vickie pôs a outra mão em seu peito. Tyler olhou para Dick.

— Ei, Vickie, pega leve — disse Dick apressadamente, mas não se aproximou dela.

Vickie deslizou as duas mãos para cima, empurrando a jaqueta de Tyler dos ombros. Ele tentou colocá-las de volta sem largar os livros ou parecer preocupado demais. Não conseguiu. Os dedos de Vickie se esgueiravam por baixo de sua camisa.

— Pare com isso. Não dá para você fazer ela parar? — disse Tyler a Dick. Ele tinha recuado até a parede.

— Ei, Vickie, pare. Não faça isso. — Mas Dick continuava a uma distância segura. Tyler, depois de lançar um olhar enfurecido a ele, tentou afastar Vickie.

Começou um ruído. De início parecia ter a frequência quase baixa demais para a audição humana, mas ficou cada vez mais alto. Um grunhido, sinistro de tão ameaçador, que gelou a espinha de Elena. Um olhar esbugalhado de incredulidade estampava o rosto de Tyler, e ela logo percebeu por quê. O som vinha de Vickie.

Depois tudo aconteceu em um só tempo. Tyler estava no chão com os dentes de Vickie batendo a centímetros de seu pescoço. Elena, esquecendo todas as rixas, tentava ajudar Dick a tirá-la dali. Tyler uivava. A porta da sala de aula de história se abriu e Alaric gritou.

— Não a machuque! Cuidado! É epilepsia, só precisamos deitá-la!

Os dentes de Vickie bateram de novo no pescoço de Tyler enquanto ele estendia a mão para tentar se desvencilhar. A menina mais magra era mais forte do que todos eles juntos, e ninguém tinha controle sobre ela. Eles não iam conseguir segurá-la por muito mais tempo. Foi com um alívio imenso que Elena ouviu a voz familiar em seu ombro.

— Vickie, calma. Está tudo bem. Agora relaxe.

Com Stefan pegando o braço de Vickie e falando com ela num tom tranquilizador, Elena se atreveu a afrouxar a mão. E no começo parecia que a estratégia de Stefan funcionava. Os dedos em garra de Vickie amoleceram e eles conseguiram tirá-la de cima de Tyler. Enquanto Stefan continuava falando, ela relaxou e os olhos se fecharam.

— Assim está melhor. Agora está se sentindo cansada. Está tudo bem, pode dormir.

Mas depois, abruptamente, ela despertou, e qualquer Poder que Stefan estivesse exercendo sobre ela foi interrompido. Os olhos de Vickie se abriram de repente, e eles não tinham nenhuma semelhança com os olhos de corça assustada que Elena vira no refeitório. Ardiam numa fúria infernal. Ela rosnou para Stefan e irrompeu numa luta com forças renovadas.

Foram necessários cinco ou seis deles para segurá-la enquanto alguém chamava a polícia. Elena ficou onde estava, falando com Vickie, às vezes gritando com ela, até que a polícia chegou. E isso não foi nada bom.

Depois ela recuou e viu a multidão de espectadores pela primeira vez. Bonnie estava na fila da frente, encarando boquiaberta. E Caroline também.

— O que *aconteceu?* — disse Bonnie enquanto os policiais levavam Vickie.

Elena, arfando um pouco, tirou uma mecha de cabelo dos olhos.

— Ela ficou louca e tentou tirar a roupa de Tyler.

Bonnie franziu os lábios.

— Bom, ela devia estar louca mesmo para *querer* isso, não é? — E abriu um sorriso malicioso por sobre o ombro, diretamente para Caroline.

Os joelhos de Elena bambeavam e as mãos tremiam. Sentiu um braço em volta dela e se encostou agradecida em Stefan. Depois olhou para ele.

— Epilepsia? — disse ela com desprezo incrédulo.

Ele olhava para Vickie pelo corredor. Alaric Saltzman, ainda gritando instruções, aparentemente iria acompanhá-la. O grupo virou a esquina.

— Acho que a turma foi dispensada — disse Stefan. — Vamos.

Eles andaram para o pensionato em silêncio, cada um perdido em seus pensamentos. Elena franziu a testa e várias vezes voltou o olhar para Stefan, mas só falou quando eles estavam a sós no quarto.

— Stefan, o que foi tudo aquilo? O que aconteceu com Vickie?

— Era o que eu estava me perguntando. Só há uma explicação plausível, e é a de que ela ainda está sendo dominada.

— Quer dizer que Damon ainda está... Ah, meu Deus! Ah, Stefan, eu devia ter dado parte da verbena a ela. Devia ter percebido...

— Não teria feito diferença alguma. Acredite. — Ela se virou para a porta como se fosse atrás de Vickie naquele minuto, mas ele a puxou de volta com gentileza. — Algumas pessoas são mais facilmente influenciadas do que outras, Elena. E nunca foi mesmo muito difícil manipulá-la. E agora Vickie pertence a ele.

Lentamente, Elena se sentou.

— Então não há nada que alguém possa fazer? Mas Stefan, ela vai se transformar... Como você e Damon?

— Depende. — O tom de voz dele era vago. — Não é só uma questão de quanto sangue ela perdeu. Ela precisa do sangue dele em suas veias para que a transformação seja completa. Caso contrário, ela vai terminar como o Sr. Tanner. Drenada, exaurida. Morta.

Elena respirou fundo. Havia algo que ela queria perguntar, uma questão que a atormentava há muito tempo.

— Stefan, quando você falou com Vickie na escola, pensei que estivesse dando certo. Você estava usando os Poderes nela, não estava?

— Sim.

— Mas depois ela enlouqueceu de novo. O que quero dizer é... Stefan, você *está mesmo* bem, não está? Seus Poderes voltaram?

Ele não respondeu. Mas isso era resposta suficiente para ela.

— Stefan, por que não me contou? Qual é o problema? — Ela se aproximou e ajoelhou-se ao lado dele para que Stefan fosse obrigado a olhar para ela.

— Estou levando algum tempo para me recuperar, é só isso. Não se preocupe.

— Eu *estou* preocupada. Não há nada que possamos fazer?

— Não — disse ele. Mas seus olhos baixaram.

A compreensão tomou Elena.

— *Ah* — sussurrou ela, sentando-se. Depois estendeu a mão de novo, tentando segurar as mãos dele. — Stefan, escute...

— Elena, *não*. Não entende? É perigoso, perigoso para nós dois, em especial para você. Eu podia matá-la, ou até algo pior.

— Só se perder o controle — disse ela. — E você não vai perder. Me beije.

— *Não* — disse Stefan de novo. Ele acrescentou, com menos rispidez: — Vou sair para caçar esta noite assim que escurecer.

— E é a mesma coisa? — disse ela. Ela sabia que não era. Era o sangue humano que conferia Poder. — Ah, Stefan, por favor; não vê que eu quero? *Você* mesmo não quer?

— Isso não é justo — disse ele, o olhar torturado. — Você sabe que não é, Elena. Sabe o quanto... — Ele desviou os olhos dela de novo, as mãos cerradas em punhos.

— Então, por que não? Stefan, eu preciso... — Ela não conseguiu terminar. Não conseguia explicar do que precisava; era uma necessidade de conexão com ele, de proximidade. Ela precisava se lembrar de como era com ele, eliminar a lembrança de dançar em seu sonho e dos braços de Damon fechados em volta dela. — Preciso que nós fiquemos juntos de novo — sussurrou ela.

Stefan ainda olhava para o outro lado, e sacudiu a cabeça.

— Tudo bem — sussurrou Elena, mas sentiu uma onda de tristeza e medo enquanto a derrota inundava seus ossos. A maior parte do medo era por Stefan, que era vulnerável sem os Poderes, vulnerável o bastante para ser ferido pelos cidadãos comuns de Fell's Church. Mas parte do medo era por si mesma.

12

Uma voz soou enquanto Elena pegava uma lata na prateleira da loja.

— Já está comprando molho de cranberry?

Elena olhou.

— Oi, Matt. Sim, a tia Judith gosta de fazer um teste no domingo antes do Dia de Ação de Graças, lembra? Se ela treinar, é menos provável que algo terrível aconteça.

— Como se lembrar de que não comprou molho de cranberry 15 minutos antes do jantar?

— Cinco minutos antes do jantar — disse Elena, consultando o relógio, e Matt riu. Era bom ouvir isso, e era um som que Elena não ouvia há tempos. Ela avançou para o caixa, mas depois de pagar pelas compras hesitou, olhando para trás. Matt estava parado perto da estante de revistas, aparentemente absorto, mas havia algo na curva dos ombros que a fez querer ir até ele.

Ela enfiou um dedo na revista de Matt.

— O que *você* vai fazer no jantar? — disse ela. Quando ele olhou inseguro para a frente da loja, ela acrescentou: — Bonnie está esperando no carro; ela vai estar lá. Além dela, só a família. E Robert, é claro; ele deve estar lá agora. — Ela pretendia dizer que Stefan não iria. Ainda não tinha certeza de como as coisas estavam entre Matt e Stefan. Pelo menos eles se falavam.

— Vou precisar me virar esta noite; minha mãe não está se sentindo tão calorosa — disse ele. Mas depois, como se mudasse de assunto, ele continuou: — Onde está Meredith?

— Com a família dela, visitando uns parentes ou algo assim.

— Elena foi vaga porque Meredith também foi vaga; ela mal falava da família. — Então, o que acha? Quer experimentar a culinária da tia Judith?

— Pelos velhos tempos?

— Pelos velhos *amigos* — disse Elena, depois de hesitar por um instante, sorrindo para ele.

Ele piscou e desviou o olhar.

— Como posso rejeitar um convite desses? — disse ele numa voz estranhamente abafada. Mas quando devolveu a revista à prateleira e a seguiu para fora da loja, também estava sorrindo.

Bonnie o cumprimentou animadamente e tia Judith pareceu satisfeita em vê-lo entrar na cozinha quando eles chegaram à casa.

— O jantar está quase pronto — disse ela, pegando o saco de compras de Elena. — Robert chegou há alguns minutos.

Por que não vão direto para a sala de jantar? Ah, e pegue outra cadeira, Elena. Com Matt, somos sete.

— Seis, tia Judith — disse Elena, divertindo-se. — Você e Robert, eu e Margaret, Matt e Bonnie.

— Sim, querida, mas Robert também trouxe um convidado. Eles já estão sentados.

Elena registrou as palavras enquanto passava pela porta da sala de jantar, mas demorou um pouco para que sua mente reagisse àquelas palavras. Mesmo assim, ela *entendeu*; ao passar pela porta, de algum modo sabia o que esperava por ela.

Robert estava de pé ali, segurando uma garrafa de vinho branco e parecendo jovial. E sentado à mesa, na ponta do centro de mesa e próximo às velas altas acesas, estava Damon.

Elena percebeu que tinha parado de andar quando Bonnie esbarrou nela por trás. Depois forçou as pernas a entrarem em ação. Sua mente não foi tão obediente; continuou paralisada.

— Ah! Elena — disse Robert, estendendo a mão. — Esta é Elena, a menina sobre a qual estava falando — disse ele a Damon. — Elena, este é Damon... Ah...

— Smith — disse Damon.

— Ah, sim. Ele é de minha *alma mater*, a William and Mary, e eu o encontrei na calçada da loja de conveniência. Como ele estava procurando um lugar para comer, eu o convidei a vir aqui para uma refeição caseira. Damon, estes são os amigos de Elena, Matt e Bonnie.

— Oi — disse Matt. Bonnie só encarava; depois, girou os olhos enormes para Elena.

Elena tentava se controlar. Não sabia se gritava, se saía da sala pisando duro ou se atirava a taça de vinho que Robert servia na cara de Damon. Naquele momento, no entanto, ela estava enfurecida demais para ficar assustada.

Matt foi pegar uma cadeira na sala de estar. Elena se surpreendeu com a forma despreocupada como aceitou Damon, depois se deu conta de que ele não tinha estado na festa de Alaric. Ele não sabia o que acontecera entre Stefan e o "visitante da universidade".

Bonnie, porém, parecia prestes a entrar em pânico. Olhava para Elena de um jeito suplicante. Damon tinha se levantado e puxava uma cadeira para ela.

Antes que pudesse pensar no que fazer, Elena ouviu a voz aguda de Margaret na porta.

— Matt, quer ver minha gatinha? Tia Judith disse que posso ficar com ela. O nome dela vai ser Snowball.

Elena se virou, inflamada com uma ideia.

— Ela é uma gracinha — dizia Matt educadamente, curvando-se para o montinho de pelos nos braços de Margaret. Ele tomou um susto quando Elena, sem a menor cerimônia, pegou a gata debaixo do nariz dele.

— Vem, Margaret, vamos mostrar a gatinha para o amigo de Robert — disse ela, e enfiou a bolinha peluda na cara de Damon, sem atirá-la nele.

Seguiu-se um pandemônio. Snowball inchou duas vezes seu tamanho normal enquanto o pelo se eriçava completamente. Fez um ruído de água pingando em uma chapa quente e depois rosnou e mostrou as garras para Elena, bateu em Damon e ricocheteou nas paredes antes de sumir da sala.

Por um instante, Elena teve a satisfação de ver os olhos negros de Damon um pouco mais arregalados do que o de costume. Depois as pálpebras caíram, escondendo-os de novo, e Elena virou-se para ver a reação dos outros ocupantes da sala.

Margaret abria a boca para dar um gemido de maria-fumaça. Robert tentava evitar isso, levando-a para encontrar a gata. Bonnie estava com as costas na parede, parecendo desesperada. Matt e tia Judith, que olhava da cozinha, pareciam completamente atarantados.

— Acho que você não tem muito jeito com animais — disse Elena a Damon, e sentou-se numa cadeira à mesa. Ela assentiu para Bonnie, que relutantemente se desgrudou da parede e puxou sua própria cadeira antes que Damon pudesse tocar nela. Os olhos castanhos de Bonnie o seguiram furtivamente enquanto ele se sentava.

Depois de alguns minutos, Robert reapareceu com uma Margaret chorosa e franziu a testa severamente para Elena. Matt empurrou sua própria cadeira em silêncio, embora as sobrancelhas ainda estivessem erguidas ao máximo.

Quando tia Judith chegou e a refeição começou, Elena olhou de um lado a outro da mesa. Uma névoa brilhante parecia envolver a todos e ela teve a sensação de irrealidade, mas a cena em si parecia quase inacreditavelmente saudável, como se saída de um comercial. Nada mais do que uma família mediana sentada para comer peru, pensou ela. Uma tia solteirona ligeiramente atrapalhada, preocupada que as ervilhas estivessem moles demais e os pãezinhos queimados, um candidato a tio bem à vontade, uma sobrinha adolescente e loura e ainda a irmã mais nova a reboque. Um sujeito de olhos azuis do tipo bom moço, uma amiga dada ao sobrenatural, um lindo vampiro passando a travessa de batata-doce. Um típico lar americano.

Bonnie passou a primeira metade da refeição telegrafando com os olhos "O que eu faço?" para Elena. Mas como só o que Elena telegrafava era "nada", ela aparentemente decidira deixar que o destino a levasse. Começou a comer.

Elena não tinha ideia do que fazer. Ser apanhada desse jeito era um insulto, uma humilhação, e Damon sabia disso. Mas ele deslumbrara tia Judith e Robert, com elogios sobre a refeição e a leve conversa sobre a William and Mary. Agora até Margaret sorria para ele e logo Bonnie também estava enfeitiçada.

— Fell's Church vai comemorar o Dia dos Fundadores na semana que vem — informou tia Judith a Damon, seu rosto fino ficando rosado. — Seria ótimo se você pudesse vir nesse dia.

— Gostaria muito — disse Damon, gentil.

Tia Judith pareceu satisfeita.

— E este ano Elena tem um grande papel nele. Ela foi escolhida para representar o Espírito de Fell's Church.

— Deve estar orgulhosa dela — disse Damon.

— Ah, nós estamos — disse tia Judith. — Então vai tentar vir, não é?

Elena interrompeu, passando manteiga furiosamente num pãozinho.

— Soube de umas novidades sobre a Vickie — disse ela.
— Lembra, a menina que foi atacada. — Ela olhou incisivamente para Damon.

Houve um breve silêncio. Depois Damon disse:

— Receio não conhecê-la.

— Ah, eu sei que conhece. Mais ou menos da minha altura, olhos castanhos, cabelo castanho-claro... De qualquer modo, ela está piorando.

— Ah, querida — disse tia Judith.

— Sim, ao que parece os médicos não conseguem entender. Ela está piorando cada vez mais, como se o ataque ainda estivesse acontecendo. — Elena mantinha os olhos fixos nos de Damon enquanto falava, mas tudo que ele demonstrou foi um educado interesse. — Pegue mais recheio — concluiu ela, empurrando uma tigela para ele.

— Não, obrigado. Mas vou querer um pouco mais disso. — Ele ergueu uma colher de molho de cranberry a uma das velas para que a luz a atravessasse. — A cor é tão tentadora.

Bonnie, como os demais à mesa, olhou para a vela quando ele fez isso. Mas Elena percebeu que o olhar da amiga não voltou para baixo. Continuou encarando a chama dançante e aos poucos toda exasperação desapareceu de seu rosto.

Ah, *não*, pensou Elena, enquanto uma onda de apreensão se esgueirava por seus membros. Ela já vira esse olhar antes. Tentou chamar a atenção de Bonnie, mas a menina parecia não ver nada, só a vela.

— ... e depois as crianças do primário representam uma peça sobre a história da cidade — dizia tia Judith a Damon.

— Mas a cerimônia termina com os alunos mais velhos. Elena, quantos alunos do último ano vão fazer a leitura?

— Só três. — Elena teve de se virar para a tia, e foi no momento em que viu a expressão sorridente de tia Judith que ela ouviu a voz.

— Morte.

Tia Judith arfou. Robert parou com o garfo a meio caminho da boca. Elena queria, louca, absoluta e desesperadamente que Meredith estivesse ali.

— Morte — disse a voz de novo. — A morte está nessa casa.

Elena olhou pela mesa e viu que não havia ninguém para ajudá-la. Todos encaravam Bonnie, imóveis como numa fotografia.

A própria Bonnie encarava a chama da vela. Seu semblante era inexpressivo, os olhos arregalados, como ficaram da outra vez em que esta voz falou através dela. Agora, aqueles olhos que nada viam viraram-se para Elena.

— A sua morte — disse a voz. — Sua morte a espera, Elena. Ela está...

Bonnie pareceu sufocar. Depois se jogou para a frente e quase caiu no prato de jantar.

Houve uma paralisia instantânea e depois todos se mexeram. Robert se colocou de pé num salto e puxou os ombros de Bonnie, erguendo-a. A pele de Bonnie tinha ficado azulada, os olhos estavam fechados. Tia Judith adejava em volta dela, limpando seu rosto com um guardanapo molhado. Damon observava com olhos pensativos e semicerrados.

— Ela está bem — disse Robert, erguendo a cabeça num alívio evidente. — Acho que só desmaiou. Deve ter sido uma espécie de ataque histérico. — Mas Elena só voltou a respirar quando Bonnie, ainda grogue, abriu os olhos e perguntou o que todo mundo estava olhando.

Isso encerrou definitivamente o jantar. Robert insistiu que Bonnie fosse levada para casa imediatamente, e na movimentação que se seguiu Elena encontrou tempo para sussurrar uma palavra a Damon.

— Fora!

Ele ergueu as sobrancelhas.

— O quê?

— Eu disse fora! Agora! Saia daqui. Vou contar a eles que você é o assassino.

Ele encarou-a com censura.

— Não acha que um convidado merece um pouco mais de consideração? — disse ele, mas ao ver a expressão dela, deu de ombros e sorriu.

— Obrigado por me receber para jantar — disse ele alto para tia Judith, que passava carregando uma manta para o carro. — Espero poder retribuir o favor um dia desses. — Para Elena, ele acrescentou: — Vejo você mais tarde.

Bom, *isso* foi bem claro, pensou Elena, enquanto Robert partia com um Matt sombrio e uma Bonnie sonolenta. Tia Judith estava ao telefone com a Sra. McCullough.

— Também não sei o que há com essas meninas — dizia ela. — Primeiro Vickie, agora Bonnie... E ultimamente Elena também não tem estado muito normal...

Enquanto tia Judith falava e Margaret procurava pela gatinha perdida, Elena andava de um lado a outro.

Teria de ligar para Stefan. Era o que tinha de fazer. Não estava preocupada com Bonnie; nas outras vezes em que isso aconteceu, não pareceu causar danos permanentes. E Damon teria coisas melhores para fazer do que atormentar os amigos de Elena esta noite.

Ele foi até lá para cobrar o "favor" que fizera a ela. Ela sabia, sem dúvida nenhuma, que era esse o significado de suas últimas palavras. E significava que ela teria de contar tudo a Stefan, porque precisava dele esta noite, precisava de sua proteção.

Mas o que Stefan poderia fazer? Apesar de todas as súplicas e argumentos de Elena na noite anterior, ele se recusara a tomar seu sangue. Insistira que seus Poderes voltariam sem isso, mas Elena sabia que ele ainda estava vulnerável. Mesmo que Stefan estivesse aqui, poderia ele deter Damon? Poderia fazer isso sem se matar?

A casa de Bonnie não era um refúgio. E Meredith estava fora da cidade. Não havia ninguém para ajudá-la, ninguém em quem pudesse confiar. Mas a ideia de esperar aqui sozinha a noite, sabendo que Damon viria, era insuportável.

Ela ouviu tia Judith desligar o telefone. Automaticamente, foi para a cozinha. O número de Stefan disparava por sua mente. Depois ela parou e vagarosamente se virou para olhar a sala de estar que havia acabado de deixar.

Ela olhou as janelas do chão ao teto, e a lareira elaborada e sua cornija com lindos arabescos. Esta sala fazia parte da casa original, aquela que foi quase completamente incendiada na Guerra Civil. Seu quarto ficava no outro andar.

Uma grande luz começava a surgir. Elena olhou a sanca pelo teto, onde se unia com a sala de jantar, mais moderna. Depois quase disparou para a escada, o coração batendo acelerado.

— Tia Judith? — A tia parou na escada. — Tia Judith, me diga uma coisa. Damon entrou na sala de estar?

— O quê? — Tia Judith piscou para ela, distraída.

— Robert entrou com Damon pela sala de estar? Por favor, pense, tia Judith! Eu preciso saber.

— Ora essa, não, acho que não. Não, não entrou. Eles entraram e foram direto para a sala de jantar. Elena, mas que diabos...? — No mesmo instante Elena impulsivamente lançou os braços para a tia e a abraçou.

— Desculpe, tia Judith. Só estou feliz — disse Elena. Sorrindo, ela se virou para descer a escada.

— Bom, ainda bem que *alguém* ficou feliz, depois desse jantar. Mas aquele rapaz bonito, Damon, pareceu gostar. Sabe de uma coisa, Elena, ele parecia muito interessado em você, apesar do modo como a senhorita estava agindo.

Elena se virou.

— E daí?

— Bom, só pensei que você podia dar uma chance a ele, é só isso. Eu o achei muito agradável. O tipo de jovem que gosto de ver por aqui.

Elena riu por um momento, depois engoliu em seco para reprimir a gargalhada histérica. A tia estava sugerindo que ela ficasse com Damon em vez de Stefan... Porque Damon era mais seguro. O tipo de jovem agradável de que qualquer tia gostaria.

— Tia Judith — começou Elena, ofegando, mas depois percebeu que era inútil. Sacudiu a cabeça, muda, erguendo as mãos derrotada, e observou a tia subir a escada.

Em geral, Elena dormia de porta fechada. Mas esta noite resolveu deixá-la aberta e se deitou na cama olhando o corredor escuro. De vez em quando via os números luminosos no relógio na mesa de cabeceira ao lado.

Não havia o perigo de ela dormir. À medida que os minutos se arrastavam, ela quase começou a querer isso. O tempo passava com uma lentidão agonizante. Onze horas... Onze e meia... Meia-noite. Uma da manhã. Uma e meia. Duas.

Às duas e dez, ela ouviu um som.

Ela escutou, ainda deitada na cama, o sussurro fraco na escada. Sabia que ele encontraria um jeito de entrar, se quisesse. Se Damon estivesse tão decidido, nenhuma tranca o impediria.

A música do sonho que teve naquela noite na casa de Bonnie tinia em sua mente, algumas notas melancólicas e prateadas. Despertava estranhas sensações nela. Quase num devaneio ou no próprio sonho, ela se levantou e parou na soleira da porta.

O corredor estava escuro, mas seus olhos tiveram muito tempo para se adaptar. Ela podia ver a silhueta mais escura subindo a escada. Quando chegou ao topo, ela viu o brilho rápido e mortal de seu sorriso.

Esperou, sem sorrir, até que ele a alcançou e ficou de frente para ela, com apenas um metro de piso de madeira entre os dois. A casa estava completamente silenciosa. Do outro lado do corredor, Margaret dormia; no final, tia Judith estava envolta em sonhos, sem ter consciência do que acontecia no corredor.

Damon não disse nada, mas olhou para ela, os olhos se demorando na longa camisola de renda com a gola alta. Elena a escolhera porque era a mais modesta que tinha, mas Damon evidentemente a achava atraente. Ela se forçou a ficar em silêncio, mas sua boca estava seca e o coração martelava surdo. Agora era a hora. Mais um minuto e ela saberia.

Ela recuou, sem dizer nada nem fazer qualquer gesto de convite, deixando a soleira da porta vazia. Ela viu a labareda rápida nos olhos profundos de Damon e o viu partir ansiosamente para ela. E o viu parar.

Ele ficou do lado de fora do quarto, completamente desconcertado. Tentou novamente entrar, mas não conseguiu. Algo parecia impedir que ele avançasse. Em seu rosto, a surpresa deu lugar à confusão e depois à raiva.

Ele levantou a cabeça, os olhos examinavam o dintel, percorrendo o teto de cada lado da soleira. Depois, ao perceber plenamente o que acontecia, seus lábios se repuxaram pelos dentes num esgar animal.

Segura em seu lado da porta, Elena riu suavemente. Funcionou.

— Meu quarto e a sala abaixo são o que restou da casa antiga — disse ela. — E é claro que era uma habitação diferente. Como você *não* foi convidado a entrar nela, nunca entrará.

O peito de Damon se erguia de raiva, as narinas infladas, os olhos desvairados. Ondas de uma fúria sombria emanavam dele. Parecia querer derrubar as paredes com as mãos, que se retorciam e se cerravam de cólera.

O triunfo e alívio causaram vertigem em Elena.

— Agora é melhor ir embora — disse ela. — Não há nada para você aqui.

Mas por um instante aqueles olhos ameaçadores arderam nos dela, e depois Damon se virou. Mas não foi para a escada. Em vez disso, deu um passo pelo corredor e colocou a mão na porta do quarto de Margaret.

Elena começou a avançar até se dar conta do que fazia. Parou na porta, agarrada ao batente, a própria respiração vindo com dificuldade.

A cabeça dele se virou de repente e ele sorriu, de forma lenta e cruel. Deu uma leve girada na maçaneta sem nem olhar. Os olhos dele, como poças de ébano líquido, permaneciam em Elena.

— Você é quem sabe — disse ele.

Elena ficou completamente imóvel, sentindo como se todo o inverno estivesse dentro dela. Margaret era só um bebê. Ele não podia estar falando sério; ninguém podia ser tão monstruoso a ponto de machucar uma menina de 4 anos.

Mas não havia nenhum sinal de suavidade ou compaixão no rosto de Damon; ele era um caçador, um assassino, e os fracos eram sua presa. Ela se lembrou do esgar animal pavoroso que tinha transfigurado suas lindas feições e entendeu que não podia deixar Margaret nas mãos dele.

Tudo pareceu estar acontecendo em câmera lenta. Ela viu a mão de Damon na maçaneta; viu aqueles olhos impiedosos.

Ela estava passando pela soleira da porta, deixando para trás o único lugar seguro que conhecia.

A Morte estava na casa, dissera Bonnie. E agora Elena tinha de encontrar a Morte por livre e espontânea vontade. Ela tombou a cabeça para esconder as lágrimas desamparadas que vinham a seus olhos. É o fim. Damon venceu.

Elena não levantou a cabeça para vê-lo avançar em sua direção. Mas ser tiu o ar se agitar em volta, fazendo-a tremer. E depois ela foi engolfada numa escuridão suave e interminável, que a envolveu como as asas de um grande pássaro.

13

Elena se agitou, depois abriu as pálpebras pesadas. A luz aparecia pela beira das cortinas. Ela teve dificuldade de se mexer, então ficou deitada na cama e tentou reconstituir o que acontecera na noite anterior.

Damon. Damon havia aparecido aqui e ameaçado Margaret. E Elena precisara ceder. Ele vencera.

Mas por que ele não terminou o serviço de uma vez? Elena ergueu a mão lânguida para tocar a lateral do pescoço, já sabendo o que encontraria ali. Sim, lá estavam: duas pequenas perfurações doloridas e sensíveis à pressão.

No entanto, ela ainda estava viva. Ele parou pouco antes de cumprir sua promessa. Por quê?

As lembranças de Elena das últimas horas eram desordenadas e embaçadas. Só fragmentos estavam claros. Os olhos de Damon descendo para ela, preenchendo todo seu mundo. A fisgada afiada no pescoço. E, mais tarde, Damon abrindo a camisa, o sangue dele brotando de um pequeno corte no pescoço.

Então Damon obrigou Elena a beber o sangue dele. Se *obrigou* for a palavra certa. Ela não se lembrava de impor nenhuma resistência ou sentir nenhuma repulsa. Na hora, ela queria.

Mas Elena não estava morta, nem mesmo seriamente enfraquecida. Ele não a transformou em vampira. E era isso que ela não conseguia entender.

Ele não tem moral nem consciência, lembrou-se Elena. Então certamente não foi por compaixão que resolveu parar. Provavelmente só queria estender o jogo, fazê-la sofrer antes de matá-la. Ou talvez queira que ela seja como Vickie, com um pé no mundo das trevas e outro na luz. Enlouquecendo lentamente daquele jeito.

De uma coisa Elena tinha certeza: não seria levada a pensar que era generosidade da parte dele. Damon não era capaz de generosidade. Nem se importava com ninguém, só consigo mesmo.

Empurrando o cobertor para trás, ela se levantou da cama. Podia ouvir tia Judith andando pelo corredor. Era manhã de segunda-feira e ela precisava se arrumar para a escola.

Quarta-feira, 27 de novembro

Querido Diário,
Não é bom fingir que não estou com medo, porque estou. Amanhã é o Dia de Ação de Graças e o Dia

dos Fundadores será dois dias depois. E ainda não sei como impedir Caroline e Tyler.

Não sei o que fazer. Se eu não recuperar meu diário com Caroline, ela vai lê-lo na frente de todo mundo. Ela terá uma oportunidade perfeita; está entre os três veteranos escolhidos para recitar poesia na cerimônia de encerramento. Escolhida pelo conselho da escola, do qual o pai de Tyler faz parte, devo acrescentar. O que será que ele vai pensar quando tudo isso acabar?

Mas que diferença faz? A não ser que eu bole um plano, quando tudo isso acabar não vai haver com o que se importar. E Stefan terá ido embora, expulso da cidade pelos bons cidadãos de Fell's Church. Ou morto, se não conseguir recuperar parte de seus Poderes. E se ele morrer, eu vou morrer também. É simples.

O que significa que tenho de descobrir um jeito de pegar o diário. Preciso fazer isso.

Mas não consigo.

Eu sei, você está esperando que eu diga isso. Há um jeito de conseguir meu diário — o jeito de Damon. Só o que preciso fazer é concordar com o preço dele.

Mas você não entende o quanto isso me apavora. Não só porque Damon me mete medo, mas porque tenho medo do que ainda vai acontecer se ele e eu ficarmos juntos de novo. Tenho medo do que ainda vai me acontecer... E a mim e Stefan.

Não posso mais falar nesse assunto. É perturbador demais. Estou tão confusa, perdida e sozinha. Não há ninguém que eu possa procurar, ninguém com quem conversar. Ninguém que possa entender.

O que vou fazer?

Quinta-feira, 28 de novembro, 23h30

Querido Diário,

Hoje as coisas parecem mais claras, talvez porque eu tenha tomado uma decisão. É uma decisão que me apavora, mas é melhor do que a única alternativa em que consigo pensar.

Vou contar tudo a Stefan.

É a única coisa que posso fazer agora. O Dia dos Fundadores é no sábado e eu não pensei em nenhum plano. Mas talvez Stefan possa pensar em algum plano, se perceber como a situação é desesperadora. Amanhã vou passar no pensionato, e quando chegar lá vou contar a ele tudo que devia ter contado muito antes.

Tudo. Sobre Damon também.

Não sei o que ele vai dizer. Fico me lembrando de seu rosto nos meus sonhos. O modo como ele me olhou, com tanta amargura e raiva. Não como se me amasse. Se ele me olhar desse jeito amanhã...

Ah, estou com medo. Meu estômago está revirado. Mal consegui tocar no jantar de Ação de Graças — e não consigo ficar parada. Parece que posso me desintegrar em mil pedaços. Dormir esta noite? Rá.

Por favor, que Stefan entenda. Por favor, que ele me perdoe.

O mais engraçado é que eu queria me tornar uma pessoa melhor para ele. Queria ser digna do amor dele. Stefan tem essas ideias sobre honra, sobre o certo e o errado. E agora, quando ele descobrir que eu estive mentindo para ele, o que vai pensar? Será que vai acreditar em mim, que eu só estava tentando protegê-lo? Será que vai confiar em mim de novo?

Amanhã eu vou descobrir. Ah, meu Deus, queria que isso acabasse. Não sei como vou viver até lá.

Elena escapuliu de casa sem dizer a tia Judith aonde ia. Estava cansada de mentiras, mas não queria enfrentar o alvoroço que inevitavelmente aconteceria se ela dissesse que ia à casa de Stefan. Desde que Damon aparecera para jantar, tia Judith tinha falado nele, fazendo insinuações sutis e não tão sutis em toda conversa. E Robert fazia o mesmo. Elena às vezes achava que ele pressionava tia Judith.

Cansada, ela se inclinou na campainha do pensionato. Onde andava a Sra. Flowers ultimamente? Quando a porta enfim se abriu, Stefan estava atrás dela.

Ele estava vestido para sair, a gola da jaqueta virada para cima.

— Pensei que íamos dar uma caminhada — disse ele.

— Não. — Elena foi firme. Não conseguiu abrir um sorriso verdadeiro para ele, então parou de tentar. — Vamos subir, Stefan, está bem? Precisamos conversar.

Por um momento, ele olhou para ela surpreso. Algo devia transparecer no rosto de Elena, porque a expressão dele aos poucos enrijeceu e escureceu. Ele respirou fundo e assentiu. Sem dizer nada, Stefan se virou e a levou até seu quarto.

As malas, cômodas e estantes há muito tempo haviam sido organizadas, é claro. Mas Elena sentia como se visse aquilo tudo pela primeira vez. Por algum motivo, pensou na primeira noite em que esteve ali, quando Stefan a salvara do repugnante abraço de Tyler. Os olhos dela percorreram os objetos na cômoda: os florins de ouro do século XV, a adaga com cabo de marfim, o pequeno cofre de ferro com a tampa de dobradiça que ela havia tentado abrir naquela primeira noite e ele batera a tampa.

Ela se virou. Stefan estava de pé junto à janela, delineado pelo retângulo do céu cinzento e triste. Todos os dias desta semana foram frios e nevoentos, e este não era exceção. A expressão de Stefan espelhava o clima do lado de fora.

— Então — disse ele em voz baixa —, sobre o que precisamos conversar?

Houve um último momento de indecisão, depois Elena se decidiu. Estendeu a mão para o pequeno cofre de ferro e o abriu.

Dentro dele, uma fita de seda damasco ainda brilhava. A fita de seu cabelo. Lembrava-a do verão, dos dias quentes que agora pareciam incrivelmente distantes. Ela a pegou e estendeu a Stefan.

— Sobre isso — disse ela.

Ele tinha dado um passo à frente quando ela tocou no cofre, mas agora estava confuso e surpreso.

— Sobre *isso*?

— Sim. Porque eu sabia que estava aqui, Stefan. Encontrei há muito tempo, num dia em que você saiu do quarto por alguns minutos. Não sei por que eu tinha de saber o que havia aqui, mas não consegui evitar. Então achei a fita. E depois... — Ela parou e se preparou. — Depois escrevi sobre isso no meu diário.

Stefan estava cada vez mais aturdido, como se não fosse nada disso que ele esperava. Elena procurou pelas palavras certas.

— Escrevi sobre isso porque eu pensava que era prova de que você gostava de mim o tempo todo, o suficiente para pegá-la e escondê-la. Nunca pensei que podia ser prova de qualquer outra coisa.

Depois, de repente, ela começou a falar aceleradamente. Contou sobre levar o diário à casa de Bonnie, de como foi roubado. Contou sobre os bilhetes, sobre descobrir que era Caroline quem os mandava e depois, afastando-se, enrolando sem parar a fita de seda em volta dos dedos nervosos, ela contou tudo sobre o plano de Caroline e Tyler.

Sua voz quase sumiu no final.

— Ando tão apavorada desde então — sussurrou ela, os olhos ainda na fita. — Com medo de que você tenha raiva de mim. Com medo do que eles vão fazer. Com medo. Tentei recuperar o diário, Stefan, até entrei na casa de Caroline. Mas ela o escondeu bem demais. Pensei sem parar, mas não consigo encontrar um jeito de impedi-la de ler o diário. — Por fim, ela olhou para ele. — Desculpe, eu lamento muito.

— Deve lamentar mesmo! — disse ele, partindo para ela com veemência. Ela sentiu o sangue sumir do rosto. Mas Stefan continuou. — Devia se lamentar por esconder algo assim de mim quando eu podia tê-la ajudado. Elena, por que não me *contou?*

— Porque era tudo culpa minha. E tive um sonho... — Ela tentou descrever como ele aparecia nos sonhos, a amargura, a acusação em seus olhos. — Acho que eu morreria se você realmente olhasse para mim daquele jeito — concluiu ela num tom infeliz.

Mas ao olhar para Elena agora, a expressão de Stefan era uma combinação de alívio e pasmo.

— Então é isso — disse ele, quase num sussurro. — É isso que está incomodando você.

Elena abriu a boca, mas ele ainda falava.

— Eu sabia que havia algo errado, sabia que você escondia alguma coisa. Mas pensei... — Ele sacudiu a cabeça e um sorriso torto puxou seus lábios. — Agora não importa mais. Não quero invadir sua privacidade. Nem quero perguntar nada. E o tempo todo você estava preocupada em proteger *a mim.*

A língua de Elena estava presa no céu da boca. As palavras também pareciam presas. Há mais, pensou ela, mas não disse, não quando os olhos de Stefan estavam assim, não quando todo o rosto dele estava iluminado daquele jeito.

— Quando você disse que precisávamos conversar hoje, pensei que tivesse mudado de ideia a meu respeito — disse ele simplesmente, sem autopiedade. — E eu não a culparia. Mas em vez disso... — Ele sacudiu a cabeça de novo. — Elena — disse ele, depois ela estava em seus braços.

Era tão bom estar ali, era tão *perfeito*. Ela nem percebeu como as coisas estiveram erradas entre eles até agora, quando o erro desapareceu. *Era disto* que ela se lembrava, o que ela sentiu naquela primeira noite gloriosa quando Stefan a abraçou. Toda a doçura e ternura do mundo surgindo entre eles. Ela estava em casa, em seu lugar de direito. Em um lugar que sempre havia sido seu.

Todo o resto foi esquecido.

Como aconteceu no início, Elena sentia como se quase pudesse ler os pensamentos de Stefan. Eles estavam conectados, um era parte do outro. Seus corações batiam no mesmo ritmo.

Só faltava uma coisa para ficar completo. Elena sabia disso e atirou a cabeça para trás, estendendo a mão para afastar o cabelo da lateral do pescoço. E desta vez Stefan não protestou, nem a afugentou. Em vez de recusa, ele irradiava uma aceitação profunda — e também uma profunda necessidade.

Sentimentos de amor, de prazer, de apreciação dominaram Elena que, com uma alegria incrédula, percebeu que os sentimentos eram dele. Por um momento, ela conseguiu penetrar os olhos dele, e sentiu o quanto Stefan gostava dela. Podia ser apavorante se ela não tivesse a mesma profundidade de sentimentos para retribuir.

Ela não sentiu dor enquanto os caninos dele penetravam seu pescoço. E nem ocorreu a Elena que ela oferecera sem pensar o lado que não havia sido marcado — embora as feridas deixadas por Damon já tivessem se curado.

Ela se agarrou a Stefan quando ele tentou erguer sua cabeça. Mas ele foi inflexível, e por fim ela teve de ceder. Ainda a abraçando, ele tateou pela cômoda atrás da lâmina de cabo de marfim e com um movimento rápido deixou seu próprio sangue fluir.

Quando os joelhos de Elena ficaram fracos, ele a sentou na cama. E depois eles ficaram abraçados, sem ter consciência do tempo ou de mais nada. Elena sentia que só ela e Stefan existiam.

— Eu te amo — disse ele delicadamente.

De início Elena, em sua névoa de prazer, simplesmente aceitou as palavras. Depois, com um arrepio de doçura, se deu conta do que ele havia dito.

Ele a amava. Elena sabia disso o tempo todo, mas ele nunca havia falado isso a ela.

— Eu te amo, Stefan — sussurrou. Ela ficou surpresa quando ele se mexeu e se afastou um pouco, até que viu o que ele fazia. Estendendo a mão por dentro do suéter, ele tirou a corrente que usava no pescoço desde que ela o conhecia. Na corrente havia um anel de ouro, lindamente trabalhado, com um lápis-lazúli incrustado.

O anel de Katherine. Enquanto Elena olhava, ele tirou a corrente e a abriu, retirando o delicado anel de ouro.

— Quando Katherine morreu — disse ele — pensei que nunca mais amaria ninguém. Embora soubesse que ela teria desejado que isso acontecesse, eu tinha certeza de que jamais voltaria a amar. Mas eu estava errado. — Ele hesitou por um momento e depois continuou.

— Guardei este anel porque era um símbolo dela. Assim eu podia mantê-la perto do meu coração. Mas agora gostaria que fosse um símbolo de outra coisa. — De novo ele hesitou, parecendo quase com medo de olhar nos olhos dela. — Considerando o modo como as coisas estão, eu não tenho nenhum direito de pedir isso. Mas Elena... — Ele se esforçou por alguns minutos e depois desistiu, os olhos encontrando os dela sem dizer nada.

Elena não conseguia falar. Nem conseguia respirar. Mas Stefan interpretou mal esse silêncio. A esperança em seus olhos morreu e ele virou o rosto.

— Você tem razão — disse ele. — É impossível. Há dificuldades demais... Por minha causa. Devido ao que eu sou. Ninguém como você deve se prender a alguém como eu. Nem devia ter sugerido isso...

— Stefan! — disse Elena. — Stefan, se ficar em silêncio por um momento...

— ... então esqueça que eu disse alguma coisa...

— *Stefan!* — disse ela. — Stefan, *olhe para mim.*

Lentamente, ele obedeceu, voltando-se para ela. Ele a olhou nos olhos e a autocondenação amargurada desapareceu de seu rosto, substituída por uma expressão que a fez perder o fôlego de novo. Depois, ainda lentamente, ele pegou a mão que ela estendia. Deliberadamente, enquanto os dois olhavam, ele colocou o anel no dedo de Elena.

Coube como se tivesse sido feito para ela. O ouro cintilava suntuosamente na luz e a pedra de lápis-lazúli reluzia num azul vibrante e profundo, como um lago límpido cercado por neve intocada.

— É melhor guardarmos isso em segredo por enquanto — disse ela, ouvindo o tremor na própria voz. — Tia Judith terá um ataque se souber que fiquei noiva antes de me formar. Mas vou fazer 18 anos no verão que vem, e ela não vai poder nos impedir.

— Elena, tem certeza de que é isso que você quer? Não seria fácil viver comigo. Eu sempre vou ser diferente de você, por mais que me esforce. Se um dia quiser mudar de ideia...

— Se você me amar, eu jamais vou mudar de ideia.

Ele a pegou nos braços de novo, e a paz e a satisfação a inundaram. Mas ainda havia um temor que roía na beira de sua consciência.

— Stefan, sobre amanhã... Se Caroline e Tyler puserem o plano em prática, não vai importar que eu mude de ideia ou não.

— Então vamos ter de cuidar para que eles não consigam nada. Se Bonnie e Meredith me ajudarem, acho que posso encontrar um jeito de pegar o diário de Caroline. Mas mesmo que eu não possa, não vou fugir. Não vou deixar você, Elena; vou ficar e lutar.

— Mas eles vão machucá-lo. Stefan, não suporto isso.

— E eu não posso deixar você. Estamos combinados. Deixe que eu me preocupo com o resto; vou encontrar um jeito. E se não encontrar... Bem, não importa, vou ficar com você. Vamos ficar juntos.

— Vamos ficar juntos — repetiu Elena, pousando a cabeça no ombro dele, feliz por parar de pensar um pouco e simplesmente *existir*.

Sexta-feira, 29 de novembro

Querido Diário,
Está tarde, mas não consigo dormir. Acho que não preciso tanto de sono como antes.

Bom, amanhã é o dia.

Conversamos com Bonnie e Meredith ontem à noite. O plano de Stefan é a imagem da simplicidade. O caso é que, não importa onde Caroline tenha escondido o diário, ela terá de levá-lo amanhã. Mas nossas leituras estão marcadas para o final da programação do dia e ela tem de estar na parada e fazer tudo o mais primeiro. Então ela terá de guardar o diário em algum lugar durante esse tempo. Assim, se a vigiarmos do minuto em que Caroline sair de casa até ela subir ao palco, talvez a gente consiga ver onde o diário ficará. E se ela não perceber que estamos desconfiados, não vai ficar de guarda erguida.

Foi então que entendemos.

O motivo para o plano dar certo é que todo mundo no programa estará de roupas de época. A Sra. Grimesby, a bibliotecária, nos ajudará a vestir as roupas do século XIX antes da parada, e nós não vamos poder usar nem portar nada que não faça parte do figurino. Nada de bolsas, nem mochilas. Nada de diários! Caroline terá de deixá-lo para trás em algum ponto.

Vamos nos revezar para vigiá-la. Bonnie vai ficar na frente da casa dela e ver o que Caroline está levan-

do quando sair. Eu vou vigiá-la quando ela se vestir na casa da Sra. Grimesby. Depois, enquanto a parada estiver acontecendo, Stefan e Meredith vão invadir a casa — ou o carro dos Forbes, se for o caso — e fazer o trabalho.

Não vejo como pode falhar. E não consigo expressar o quanto me sinto melhor. É tão bom poder dividir este problema com Stefan. Aprendi minha lição; nunca mais vou guardar segredos dele.

Vou usar meu anel amanhã. Se a Sra. Grimesby perguntar sobre ele, vou dizer a ela que é ainda mais antigo do que o século XIX, é da Itália renascentista. Quero ver a cara dela quando eu disser isto.

É melhor tentar dormir um pouco agora. Espero não sonhar.

14

onnie tremia ao esperar do lado de fora da alta casa vitoriana. O ar estava gelado esta manhã e, embora fossem quase oito horas, o sol não tinha realmente aparecido. O céu era uma massa densa de nuvens cinzentas e brancas, criando um crepúsculo sinistro na terra.

Quando ela começou a bater os pés e esfregar as mãos, a porta dos Forbes se abriu. Bonnie recuou um pouco para trás do arbusto que era seu esconderijo e observou a família andar até o carro. O Sr. Forbes não carregava nada além de uma câmera. A Sra. Forbes tinha uma bolsa e uma cadeira de armar. Daniel Forbes, irmão mais novo de Caroline, tinha outra cadeira. E Caroline...

Bonnie se inclinou para a frente, a respiração sibilando de satisfação. Caroline estava de jeans e um suéter pesado, e levava uma espécie de saco de pano branco. Não era grande, mas o tamanho era suficiente para guardar um pequeno diário.

Satisfeita com o que vira, Bonnie esperou atrás do arbusto até que o carro partiu. Depois disparou para a esquina da Thrush Street com a Hawthorne Drive.

— Lá está ela, tia Judith. Na esquina.

O carro reduziu e parou, e Bonnie entrou no banco traseiro com Elena.

— Ela está com uma bolsa de pano branca — murmurou Bonnie no ouvido de Elena enquanto tia Judith arrancava de novo.

A excitação formigou pelo corpo de Elena e ela apertou a mão de Bonnie.

— Ótimo — cochichou ela. — Agora vamos ver se ela a leva para a casa da Sra. Grimesby. Se não, diga a Meredith que está no carro.

Bonnie assentiu e apertou a mão de Elena.

Elas chegaram à casa da Sra. Grimesby bem a tempo de ver Caroline entrando com um saco branco pendurado no braço. Bonnie e Elena trocaram um olhar. Agora cabia a Elena ver onde Caroline o deixaria na casa.

— Vou ficar aqui também, Srta. Gilbert — disse Bonnie enquanto Elena pulava para fora do carro. Ia esperar do lado de fora com Meredith até Elena poder dizer a elas onde estava o saco. O importante era não deixar que Caroline suspeitasse de nada fora do comum.

A Sra. Grimesby, que atendeu quando Elena bateu na porta, era a bibliotecária de Fell's Church. A casa dela quase parecia uma biblioteca; havia estantes em toda parte e livros empilhados no chão. Ela também era curadora dos artefatos históricos de Fell's Church, inclusive o vestuário que foi preservado dos primeiros dias da cidade.

Agora a casa ressoava com vozes jovens, e os quartos estavam cheios de alunos em vários estágios da troca de roupa. A Sra. Grimesby sempre supervisionava o figurino para a peça. Elena estava pronta para pedir para ser colocada no mesmo quarto de Caroline, mas não foi necessário. A Sra. Grimesby já a estava conduzindo para lá.

Caroline, apenas com a roupa de baixo da moda, lançou a Elena o que pretendia ser um olhar indiferente, mas Elena detectou o júbilo cruel por trás. Ela manteve os olhos no fardo de roupas que a Sra. Grimesby pegava na cama.

— Esta é sua, Elena. Uma de nossas peças mais bem preservadas... E é toda autêntica também, até as fitas. Acreditamos que este vestido tenha pertencido a Honoria Fell.

— É lindo — disse Elena, enquanto a Sra. Grimesby sacudia as dobras do tecido branco. — É feito do quê?

— Musselina morávia e gaze de seda. Como hoje está muito frio, você pode usar o casaco de veludo por cima. — A bibliotecária indicou uma roupa rosa-clara estendida no encosto de uma cadeira.

Elena lançou um olhar disfarçado para Caroline enquanto começava a trocar de roupa. Sim, lá estava o saco de pano, aos pés de Caroline. Ela se remoeu na dúvida de se devia pegá-lo, mas a Sra. Grimesby ainda estava no quarto.

O vestido de musselina era muito simples, de tecido floral e cintura alta sob os seios com uma fita rosa-clara. As mangas na altura do cotovelo e ligeiramente bufantes eram presas com fitas da mesma cor. A moda era bem larga no início do século XIX para caber numa menina do século XX — pelo menos se ela fosse magra. Elena sorriu enquanto a Sra. Grimesby a levava ao espelho.

— Pertenceu mesmo a Honoria Fell? — perguntou ela, pensando na imagem marmórea dessa senhora deitada no túmulo da igreja em ruínas.

— É o que diz a história — disse a Sra. Grimesby. — Ela fala de um vestido como esse em seu diário, então temos certeza.

— Ela mantinha um diário? — Elena ficou sobressaltada.

— Ah, sim. Eu o mantenho numa caixa na sala de estar; vou mostrar a você quando estivermos saindo. Agora, o casaco... Ah, o que é isso?

Uma coisa violeta flutuou para o chão quando Elena pegou o casaco.

Ela pôde sentir a expressão paralisar. Pegou o bilhete antes que a Sra. Grimesby pudesse se abaixar e deu uma olhada.

Uma frase. Ela se lembrava de escrever em seu diário em 4 de setembro, o primeiro dia de aula. Só que depois que escreveu, Elena riscou. Aquelas palavras não estavam riscadas; estavam nítidas e claras.

Alguma coisa horrível vai acontecer hoje.

Elena mal conseguiu deixar de se virar para Caroline e sacudir o bilhete na cara dela. Mas isso estragaria tudo. Ela se obrigou a ficar calma enquanto amassava o pedacinho de papel e o atirava na lixeira.

— É só um pedaço de lixo — disse ela, e virou-se para a Sra. Grimesby, com os ombros rígidos. Caroline não disse nada, mas Elena podia sentir os olhos verdes e triunfantes nela.

Espere só, pensou ela. Espere até que eu pegue meu diário de volta. Vou queimá-lo, e depois você e eu vamos ter uma conversinha.

Para a Sra. Grimesby, ela disse:

— Estou pronta.

— Eu também — disse Caroline num tom recatado. Elena fixou um olhar de indiferença fria enquanto olhava a menina. O vestido verde-claro de Caroline, com longas faixas verdes e brancas, não era tão bonito quanto o dela.

— Maravilhoso. Vão andando e esperem por suas carruagens. Ah, e Caroline, não se esqueça de seu retículo.

— Não vou esquecer — disse Caroline, sorrindo, e pegou o saco de pano a seus pés.

Era sorte que desta posição ela não pudesse ver o rosto de Elena, porque neste instante a indiferença fria se espatifou completamente. Elena encarou, aturdida, enquanto Caroline começava a prender o saco na cintura.

Seu espanto não escapou à Sra. Grimesby.

— Isto é um retículo, o ancestral da nossa moderna bolsa — explicava gentilmente a mulher mais velha. — As senhoras usavam para guardar suas luvas e leques. Caroline veio aqui e pegou no início da semana para poder consertar algumas contas soltas... Foi muita consideração da parte dela.

— Tenho certeza de que foi — disse Elena numa voz estrangulada. Ela precisava sair dali ou algo horrível ia acontecer naquele instante. Ia começar a gritar, ou a esmurrar Caroline, ou explodir. — Preciso de ar fresco — disse ela, e saiu do quarto e da casa num rompante.

Bonnie e Meredith esperavam no carro de Meredith. O coração de Elena martelava estranhamente enquanto andava até o carro e se inclinava na janela.

— Ela foi mais esperta do que a gente — disse em voz baixa.

— Aquele saco é parte do figurino e ela vai usar o dia todo.

Bonnie e Meredith olharam, primeiro para Elena, depois entre si.

— Mas... Então, o que vamos fazer? — perguntou Bonnie.

— Não sei. — Com um desânimo nauseante, Elena finalmente se deu conta da realidade. — Eu não sei!

— Ainda podemos vigiá-la. Talvez ela tire a bolsa no almoço ou algo assim... — Mas a voz de Meredith parecia oca. Todas sabiam a verdade, pensou Elena, e a verdade era que não havia esperanças. Elas haviam perdido a batalha.

Bonnie olhou pelo retrovisor, depois girou em seu banco.

— É a sua carruagem.

Elena olhou. Dois cavalos brancos puxavam pela rua uma charrete bem restaurada. Havia papel crepom entremeado nas rodas, samambaias decoravam os bancos e uma grande faixa na lateral proclamava, *O Espírito de Fell's Church*.

Elena só teve tempo para um recado desesperado.

— Vigiem-na — disse ela. — E se ela ficar sozinha por um momento... — Depois Elena teve de ir.

Mas por toda a manhã longa e terrível não houve um só momento em que Caroline ficasse a sós. Era cercada de uma multidão de espectadores.

Para Elena, a parada foi pura tortura. Ela ficou sentada na charrete ao lado do prefeito e de sua esposa, tentando sorrir, tentando parecer normal. Mas o medo nauseante era como um peso esmagador em seu peito.

Em algum lugar à frente, entre as bandas marciais, os grupos em formação militar e os conversíveis abertos, estava Caroline. Elena tinha se esquecido de descobrir que carruagem ela ocupava. Talvez fosse a primeira da escola; muitas crianças mais novas e com o traje de época estariam nela.

Isso não importava. Onde quer que estivesse, Caroline ficaria à plena vista de toda a cidade.

O almoço que se seguiu à parada foi dado no refeitório da escola. Elena ficou presa numa mesa com o prefeito Dawley e sua mulher. Caroline estava numa mesa próxima; Elena podia ver a parte de trás de seus brilhantes cabelos ruivos. E, sentado ao lado dela, em geral possessivamente inclinado sobre ela, estava Tyler Smallwood.

Elena estava numa posição perfeita para ver o pequeno drama que acontecia lá pela metade do almoço. Seu coração saltou na garganta quando ela viu Stefan, parecendo despreocupado, andar perto da mesa de Caroline.

Ele falou com Caroline. Elena olhou, esquecendo-se até de brincar com a comida intocada no prato. Mas o que viu em seguida fez seu coração afundar. Caroline levantou a cabeça e respondeu a ele brevemente, depois se virou para sua refeição.

E Tyler se colocou de pé, o rosto ficando vermelho enquanto fazia um gesto zangado. Ele só voltou a se sentar quando Stefan se afastou.

Stefan olhou para Elena ao sair, e por um momento seus olhos se encontraram numa comunhão muda.

Então não havia nada a ser feito. Mesmo que os Poderes dele tivessem voltado, Tyler ia mantê-lo longe de Caroline. O peso esmagador espremeu os pulmões de Elena de tal modo que ela mal conseguia respirar.

Depois disso ela simplesmente ficou sentada num torpor de infelicidade e desespero até que alguém a cutucou e disse que era hora de ir para o palco.

Ela ouviu quase com indiferença o discurso de boas-vindas do prefeito Dawley. Ele falou da "época penosa" que Fell's Church enfrentava recentemente, e sobre o espírito de comunidade que os sustentara nos últimos meses. Depois os prêmios foram distribuídos, por rendimento escolar, atletismo, serviços comunitários. Matt subiu ao palco para receber o prêmio de Atleta do Ano e Elena o viu olhar para ela com curiosidade.

Depois veio a peça. As crianças da pré-escola riam, tropeçavam e esqueciam suas falas enquanto retratavam cenas sobre a fundação de Fell's Church, passando pela Guerra Civil. Elena as olhou sem apreender nada. Mesmo depois da última noite, ela andava meio tonta e trêmula, e agora parecia estar pegando uma gripe. Seu cérebro, em geral tão cheio de esquemas e cálculos, estava vazio. Ela não conseguia pensar mais. Quase não se importava.

A peça terminou com flashes de câmeras estourando e aplausos tumultuados. Quando o último soldadinho confederado saiu do palco, o prefeito Dawley pediu silêncio.

— E agora — disse ele —, aos alunos que realizarão a cerimônia de encerramento. Por favor, mostrem sua apreciação pelo Espírito da Independência, pelo Espírito da Fidelidade e pelo Espírito de Fell's Church!

Os aplausos foram ainda mais estrondosos. Elena ficou ao lado de John Clifford, o veterano nerd que foi escolhido para representar o Espírito da Independência. Do outro lado de John estava Caroline. De um jeito distante e quase apático, Elena percebeu que Caroline estava magnífica: a cabeça jogada para trás, os olhos em brasa, o rosto corado.

John falou primeiro, ajeitando os óculos e o microfone antes de começar a ler o pesado livro marrom no atril. Oficialmente, os veteranos eram livres para escolher seus poemas; na prática, eles quase sempre liam as obras de M.C. Marsh, o único poeta gerado por Fell's Church.

Durante toda a leitura de John, Caroline o eclipsava no palco. Ela sorria para o público. Sacudia o cabelo; pesava o retículo pendurado na cintura. Seus dedos afagavam o saco de pano amorosamente e Elena se viu olhando para ele, hipnotizada, memorizando cada conta.

John fez uma mesura e reassumiu seu lugar ao lado de Elena. Caroline atirou os ombros para trás e andou feito uma modelo até o microfone.

Desta vez os aplausos se misturaram com assovios. Mas Caroline não sorria; assumira um ar de responsabilidade trágica.

Com um *timing* extraordinário, esperou até que todos fizessem completo silêncio para falar.

— Hoje eu pretendia ler um poema de M.C. Marsh — disse ela e depois de notar uma paralisia generalizada —, mas não vou. Por que ler *isto* — ela ergueu o volume de poemas do século XIX — quando há uma coisa muito mais... relevante... num livro que encontrei por acaso?

Quer dizer que roubou por acaso, pensou Elena. Os olhos dela procuraram entre os rostos na multidão e localizou Stefan. Ele estava de pé perto dos fundos, com Bonnie e Meredith paradas ao lado dele como se o protegessem. Depois Elena percebeu outra coisa. Tyler estava com Dick e vários outros caras, parados poucos metros atrás de Stefan. Os rapazes eram mais velhos, não pareciam estudantes, pareciam durões e eram cinco.

Vá, pensou Elena, encontrando os olhos de Stefan de novo. Ela queria que ele entendesse o que dizia. Vá, Stefan; por favor, vá embora antes que aconteça. Vá *agora*.

Muito devagar, quase imperceptivelmente, Stefan sacudiu a cabeça.

Os dedos de Caroline se metiam pelo saco como se ela mal pudesse esperar.

— O que vou ler trata da Fell's Church de *hoje*, e não de 100 ou 200 anos atrás — dizia ela, aquecendo-se numa espécie de febre exultante. — É importante *agora*; porque trata de alguém que está morando na cidade conosco; na realidade, está bem aqui nesta sala.

Tyler deve ter escrito o discurso para ela, concluiu Elena. No mês passado, no ginásio, ele mostrou um dom para esse tipo de coisa. Ah, Stefan, ah, Stefan. Estou com medo... Seus pensamentos ficaram incoerentes enquanto Caroline colocava a mão na bolsa.

— Acho que vão entender o que quero dizer quando ouvi-rem isto — disse Caroline, e, com um movimento rápido, pe-gou o livro com capa de veludo no retículo e o ergueu teatral-mente. — Acho que vai explicar muito do que tem acontecido em Fell's Church nos últimos tempos. — Respirando rápida e superficialmente, ela olhou da plateia enfeitiçada para o livro que tinha na mão.

Elena quase perdeu a consciência quando Caroline sacou o diário. Faíscas brilhantes percorriam a beira de sua visão. A vertigem aumentou, prestes a dominar Elena, quando ela per-cebeu uma coisa.

Deviam ser seus olhos. As luzes do palco e os flashes devem tê-los ofuscados. Ela certamente parecia prestes a desmaiar a qualquer minuto; não era nada surpreendente que não conse-guisse enxergar direito.

A capa do caderno nas mãos de Caroline parecia *verde* e não azul.

Eu devo estar enlouquecendo... Ou isto é um sonho... Ou talvez seja um truque da luz. Mas olha a cara de Caroline!

Caroline, os lábios se mexendo, encarava o caderno com capa de veludo. Parecia ter se esquecido totalmente da plateia. Virava o diário sem parar nas mãos, olhando-o por todos os lados. Seus movimentos ficaram frenéticos. Ela enfiou a mão no retículo como se de algum modo esperasse encontrar outra coisa ali. Depois lançou um olhar desvairado pelo palco, como se procurasse por algo que tivesse caído no chão.

O público murmurava, impaciente. O prefeito Dawley e o diretor da escola trocavam carrancas de lábios cerrados.

Sem encontrar nada no chão, Caroline encarava o caderninho de novo. Mas agora olhava para ele como se fosse um escorpião. Com um gesto repentino, ela o abriu e olhou seu conteúdo, como se fosse sua derradeira esperança de que a capa tivesse mudado e as palavras lá dentro fossem as de Elena.

Depois ela olhou lentamente do caderno para o refeitório lotado.

O silêncio caiu novamente e o instante se arrastou, enquanto cada olhar continuava fixo na menina de vestido verde-claro. Depois, com um som inarticulado, Caroline girou e disparou para fora do palco. Atirou o livro em Elena ao passar, com o rosto envolto numa máscara de raiva e ódio.

Gentilmente, com a sensação de que flutuava, Elena se abaixou para pegar o que Caroline usara para tentar golpeá-la.

O diário de Caroline.

Havia movimento atrás de Elena, pessoas correndo atrás de Caroline, e diante dela, enquanto o público explodia em comentários, discussões e conversas. Elena encontrou Stefan. Dava a impressão de que o júbilo se esgueirava por ele. Mas ele também parecia tão pasmo quanto Elena. Bonnie e Meredith estavam do mesmo jeito. Enquanto o olhar de Stefan cruzava com o dela, Elena sentiu uma onda de gratidão e alegria, mas sua emoção predominante era de espanto.

Era um milagre. Além de qualquer esperança, eles foram resgatados. Foram salvos.

E depois seus olhos encontraram outra cabeça escura entre a multidão.

Damon estava encostado... não, reclinado... na parede norte. Seus lábios se curvavam num meio-sorriso e o olhar ousado localizou Elena.

O prefeito Dawley estava atrás dela, instando-a a avançar, aquietando a multidão, tentando restaurar a ordem. Inútil. Elena leu a seleção numa voz sonhadora a um grupo de pessoas que tagarelava e não prestava atenção alguma. Ela também não estava atenta; não fazia ideia do que as palavras diziam. Olhava para Damon com frequência.

Houve aplausos, esparsos e distraídos, quando ela terminou, e o prefeito anunciou o resto dos eventos da tarde. E depois tudo estava acabado, e Elena estava livre para ir.

Ela flutuou do palco sem ter consciência nenhuma de para *onde* ia, mas suas pernas a levaram à parede norte. A cabeça escura de Damon saiu pela porta lateral e ela a seguiu.

O ar no pátio estava deliciosamente frio depois da sala abarrotada e as nuvens no alto giravam prateadas. Damon esperava por ela.

Seus passos se reduziram, mas não cessaram. Ela andou até estar a mais ou menos meio metro dele, os olhos procurando seu rosto.

Houve um longo silêncio, depois ela falou.

— Por quê?

— Pensei que estivesse mais interessada no *como*. — Ele deu um tapinha significativo no casaco. — Recebi um convite para um café esta manhã depois de esbarrar num conhecido na semana passada.

— Mas *por quê?*

Ele deu de ombros, e por um instante algo parecido com consternação palpitou por suas feições finas. Pareceu a Elena que ele mesmo não sabia o motivo — ou não queria admitir.

— Para meus próprios fins — disse ele.

— Não penso assim. — Alguma coisa se formava entre eles, algo tão poderoso que assustava Elena com seu poder. — Não acho que este seja o motivo.

Houve um brilho perigoso naqueles olhos escuros.

— Não me pressione, Elena.

Ela se aproximou, quase tocando-o, e olhou para ele.

— Eu acho — disse ela — que talvez você precise ser pressionado.

O rosto dele estava a centímetros do dela e Elena jamais soube o que poderia ter acontecido se naquele momento uma voz não se intrometesse entre os dois.

— Você *conseguiu* vir, afinal! Estou tão feliz!

Era tia Judith. Elena sentia como se estivesse sendo arrebatada de um mundo a outro. Ela piscou, tonta, recuando, soltando o ar quando percebeu que o prendia.

— E então você veio ouvir Elena ler — continuou tia Judith alegremente. — Fez um belo trabalho, Elena, mas não sei o que houve com Caroline. As meninas nessa cidade parecem enfeitiçadas ultimamente.

— São os nervos — sugeriu Damon, a expressão cuidadosamente solene. Elena sentiu o impulso de rir e depois uma onda de irritação. Estava tudo muito bem ficar agradecida a Damon por salvá-los, mas, se não fosse por Damon, não haveria problema algum, antes de tudo. Damon cometera os crimes que Caroline queria impingir a Stefan.

— E onde *está* Stefan? — disse ela, verbalizando seu pensamento seguinte em voz alta. Ela podia ver Bonnie e Meredith sozinhas no pátio.

O rosto de tia Judith explicitava reprovação.

— Nem o vi — disse ela asperamente. Depois sorriu com ternura. — Mas tenho uma ideia; por que não vem jantar conosco, Damon? Depois talvez você e Elena possam...

— Pare com isso! — disse Elena a Damon. Ele olhou educadamente inquisitivo.

— O quê? — disse tia Judith.

— Pare! — disse Elena a Damon de novo. — Sabe bem o quê. Simplesmente pare agora!

15

— **E**lena, você está sendo grosseira! — Tia Judith quase nunca se irritava, mas agora estava zangada. — E já está velha demais para esse tipo de comportamento.

— Não é grosseria! A senhora não entende...

— Entendo perfeitamente. Está agindo como fez quando Damon foi jantar em nossa casa. Não acha que um convidado merece um pouco mais de consideração?

A frustração inundou Elena.

— A senhora nem sabe do que está falando — disse ela. Assim era demais. Ouvir as palavras de Damon saindo da boca de tia Judith... Era insuportável.

— Elena! — Um rubor mosqueado subia pelo rosto de tia Judith.

— Estou *chocada* com você! E *tenho* que dizer que está com este comportamento infantil justamente desde que começou a sair com aquele rapaz.

— Ah, "aquele rapaz". — Elena fuzilou Damon com os olhos.

— Sim, aquele rapaz! — respondeu tia Judith. — Desde que perdeu a cabeça por ele, você tem sido uma pessoa diferente. Irresponsável, cheia de segredos... e rebelde! Ele tem sido uma má influência desde o começo, e não vou mais tolerar isso.

— Ah, é mesmo? — Elena sentia que estava falando com Damon e tia Judith ao mesmo tempo, e olhava de um para outro. Todas as emoções que andou reprimindo nos últimos dias — nas últimas semanas, nos meses desde que Stefan entrou em sua vida — agora explodiam. Era como uma grande onda se assomando dentro dela, sobre a qual ela não tinha controle.

Ela percebeu que tremia.

— Bom, isso é péssimo, porque a senhora vai ter que tolerar. Nunca vou desistir de Stefan, por ninguém. Certamente não por *você*! — Esta última foi dirigida a Damon, mas tia Judith arfou.

— Basta! — disse Robert. Ele apareceu com Margaret e seu semblante era sombrio. — Mocinha, se é assim que aquele rapaz a encoraja a falar com sua tia...

— Ele não é "aquele rapaz"! — Elena recuou outro passo, de modo a ficar de frente para os dois. Estava dando um show, todos no pátio olhavam. Mas ela não se importava. Manteve uma tampa sobre seus sentimentos por tanto tempo, reprimindo toda a ansiedade, o medo e a raiva onde não podiam ser vistos. Toda a preocupação com Stefan, todo o terror com Damon, toda a vergonha e a humilhação que sofreu na escola, ela enterrara fundo. Mas agora tudo vinha à tona. Tudo isso, de uma vez só, num turbilhão de violência inacreditável. Seu coração martelava loucamente; os ouvidos tiniam. Ela sentia que nada mais importava, a não ser magoar as pessoas que estavam diante dela, para mostrar a todos.

— Ele não é "aquele rapaz" — disse ela de novo, a voz mortalmente fria. — O nome deles é Stefan, e é só com ele que me importo. E por acaso estou noiva dele.

— Ah, não seja ridícula! — trovejou Robert. Foi a gota d'água.

— Isto é ridículo? — Ela ergueu a mão, mostrando-lhes o anel. — Nós vamos nos casar!

— Você *não* vai se casar — começou Robert. Todos estavam furiosos. Damon pegou a mão dela e olhou o anel, depois se virou abruptamente e partiu, cada passo cheio da selvageria mal reprimida. Robert cuspia de exasperação. Tia Judith fumegava.

— Elena, eu a proíbo terminantemente de...

— *Você não é a minha mãe!* — gritou Elena. Lágrimas tentavam forçar caminho por seus olhos. Ela precisava se afastar, ficar sozinha, estar com alguém que a amasse. — Se Stefan perguntar, diga a ele que estarei no pensionato! — acrescentou, e partiu por entre a multidão.

Ela esperava, pelo menos um pouco, que Bonnie ou Meredith a seguissem, mas ficou feliz por não fazerem isso. O estacionamento estava lotado de carros, mas quase não havia ninguém. A maioria das famílias ficou para as atividades da tarde. Mas um Ford sedan amassado estava estacionado perto dela e uma figura conhecida abria a porta.

— Matt! Está indo embora? — Ela tomou a decisão de imediato. Estava frio demais para ir a pé até o pensionato.

— Hein? Não, tenho que ajudar o treinador Lyman a tirar as mesas. Só estava guardando isto. — Ele atirou a placa de Atleta do Ano no banco de frente. — Ei, você está bem? — Seus olhos se arregalaram ao ver o rosto de Elena.

— Sim... Não. Vou ficar assim que sair daqui. Olha, posso levar seu carro? Só por um tempinho?

— Bom... Claro, mas... Já sei, por que não me deixa levar você? Vou falar com o treinador Lyman.

— Não! Eu quero ficar sozinha... Ah, por favor, não faça nenhuma pergunta. — Ela quase arrancou a chave da mão dele.

— Vou trazer de volta logo, eu prometo. Ou Stefan trará. Se vir Stefan, diga a ele que estou no pensionato. E obrigada. — Ela bateu a porta sob os protestos de Matt e ligou o carro, arrancou, arranhando a marcha porque não estava acostumada a um câmbio duro. Ela o deixou parado ali, de pé observando o carro partir.

Elena dirigiu sem ver nem ouvir o que se passava do lado de fora, chorando, presa em seu turbilhão de emoções. Ela e Stefan iam fugir... Iam escapar... Iam mostrar a todo mundo. Ela nunca mais colocaria os pés em Fell's Church.

E depois tia Judith ia lamentar. Depois Robert ia ver como estava errado. Mas Elena nunca os perdoaria. Nunca.

Quanto à própria Elena, ela não precisava de ninguém. Certamente não precisava da velha e idiota Robert E. Lee, onde você pode passar de megapopular a uma pária social em um dia só por se apaixonar pela pessoa errada. Não precisava de família nenhuma, nem de amigos, nem...

Reduzindo para atravessar a entrada sinuosa do pensionato, Elena sentiu os pensamentos diminuírem de velocidade também.

Bom... Ela não estava chateada com os amigos. Bonnie e Meredith não fizeram nada. Nem Matt. Estava tudo bem com Matt. Na realidade, ela podia não precisar dele, mas seu carro veio muito a calhar.

A contragosto, Elena sentiu uma risada estrangulada subir na garganta. Coitado do Matt. As pessoas sempre pegavam emprestado o dinossauro barulhento do carro dele. Ele devia pensar que ela e Stefan são malucos.

O riso deu lugar a algumas lágrimas e ela ficou sentada, e as enxugou, sacudindo a cabeça. Ah, meu Deus, como as coisas deram essa guinada? Que dia. Ela devia ter uma comemoração vitoriosa porque derrotara Caroline, mas em vez disso estava chorando sozinha no carro de Matt.

Mas Caroline foi *mesmo* muito engraçada. O corpo de Elena se sacudiu gentilmente com a risada um tanto histérica. Ah, a cara dela. Tomara que alguém tenha filmado isso.

Por fim, o choro e o riso se abateram e Elena sentiu uma onda de cansaço. Encostou-se no volante, tentando não pensar em mais nada por um tempo, depois saiu do carro.

Ia sair e esperar por Stefan, depois os dois iam voltar e lidar com a bagunça que ela arrumou. Seria preciso uma faxina e tanto, pensou ela, esgotada. Coitada de tia Judith. Elena havia gritado com ela na frente de metade da cidade.

Por que ela havia se deixado ficar tão perturbada? Mas suas emoções ainda estavam à flor da pele, quando descobriu que a porta do pensionato estava trancada e ninguém atendeu à campainha.

Ah, que maravilha, pensou ela, os olhos ardendo de novo. A Sra. Flowers também devia ter ido à comemoração do Dia dos Fundadores. E agora Elena tinha a opção de ficar sentada no carro ou de pé aqui, nessa ventania...

Foi a primeira vez que ela percebera o clima, mas neste momento ela olhou em volta, alarmada. O dia começara nublado e frio, mas agora havia uma neblina flutuando pelo chão, como se saísse dos campos que a cercavam. As nuvens não estavam só girando, estavam fervendo. E o vento ficava mais forte.

Gemia pelos galhos de carvalho, arrancando as folhas restantes e provocando uma chuva delas. O som agora aumentava constantemente, não era só um gemido, mas um uivo.

E havia mais alguma coisa. Algo que vinha não só do vento, mas do próprio ar, ou do espaço em torno do ar. Uma pressão, de ameaça, de uma força inimaginável. Ganhava poder, aproximava-se, fechava-se sobre ela.

Elena girou para olhar os carvalhos.

Havia um grupo deles atrás da casa e mais além, mesclando-se com a floresta. E depois disso havia o rio e o cemitério.

Alguma coisa... estava lá fora. Algo... muito ruim...

— Não — sussurrou Elena. Ela não conseguia ver, mas podia sentir, como uma grande forma erigindo-se para se postar sobre ela, bloqueando o céu. Ela *sentiu* a maldade, o ódio, a fúria animal.

Sede de sangue. Stefan tinha usado a palavra, mas ela não a compreendera. Agora sentia essa sede de sangue... concentrada nela.

— Não!

Cada vez mais alta, assomava sobre ela. Elena ainda não podia ver nada, mas era como se grandes asas se desdobrassem, estendendo-se, tocando o horizonte dos dois lados. Algo com um Poder além da compreensão... E queria matar...

— *Não!* — Ela correu para o carro assim que a coisa se abaixou e mergulhou em sua direção. Suas mãos se atrapalharam freneticamente com a maçaneta e as chaves. O vento gritava, guinchava, vergastava seu cabelo. Um gelo saibroso borrifou seus olhos, cegando-a, mas a chave virou e ela abriu a porta num rompante.

Segura! Ela fechou a porta e bateu o punho na tranca. Depois voou para a outra porta para verificar as trancas do outro lado.

O vento rugia com mil vozes. O carro começou a se sacudir.

— Pare! Damon, pare! — Seu grito fino se perdeu na cacofonia. Ela pôs as mãos no painel, como que para equilibrar o carro, e ele balançou ainda mais, o gelo o golpeava.

E então Elena viu uma coisa. O vidro traseiro do carro estava embaçado, mas ela pôde discernir a forma através dele. Parecia uma grande ave feita de névoa ou neve, mas a silhueta era nebulosa. Só do que tinha certeza era que batia asas imensas... e vinha na sua direção.

Coloque a chave na ignição. Coloque! Agora! Sua mente cuspia ordens. O Ford antigo ofegou e os pneus cantaram mais alto do que o vento quando ela arrancou. E a forma atrás dela a seguiu, ficando cada vez maior no retrovisor.

Vá para a cidade, vá para Stefan! Ande! Vá! Mas quando ela entrou guinchando na Old Creek Road, pegando à esquerda, as rodas travaram, um raio cortou o céu.

Se ela já não estivesse derrapando e freando, a árvore a teria esmagado. Ainda assim, o impacto violento sacudiu o carro como um terremoto, errando o para-lama dianteiro direito por centímetros. A árvore era uma massa de galhos que se erguia e se atirava, o tronco bloqueando o caminho de volta à cidade.

Ela estava presa. Seu único caminho para casa foi interrompido. Estava sozinha, não tinha como escapar desse poder terrível...

Poder. Era isso; essa era a chave. "Quanto mais fortes são seus Poderes, mais as regras das trevas o cegam."

Água corrente!

Dando a ré no carro, ela manobrou e avançou para a frente. A forma branca se inclinou lateralmente e mergulhou, errando o carro por pouco como fez a árvore, e depois ela estava acelerando pela Old Creek Road na pior tempestade do mundo.

Aquilo ainda estava atrás dela. Só uma ideia martelava o cérebro de Elena. Ela precisava atravessar água corrente, deixar essa coisa para trás.

Houve mais estalos de raio e ela vislumbrou outras árvores caindo, mas Elena costurou entre elas. Não podia estar longe. Ela podia ver o rio cintilando à esquerda pela nevasca. Depois viu a ponte.

Lá estava; ela conseguiu! Uma lufada atirou granizo no para-brisa, mas nos próximos golpes do limpador ela a viu fugazmente de novo. Lá estava, a entrada devia estar *aqui.*

O carro se lançou e derrapou numa estrutura de madeira. Elena sentiu as rodas pegarem as pranchas escorregadias e as sentiu travar. Desesperadamente, ela tentou evitar a derrapagem, mas não conseguia enxergar e não havia espaço...

Depois de bater na grade, a madeira podre da passarela cedeu sob o peso que não podia mais suportar. Houve uma sensação nauseante de rodopio, de queda, e o carro caiu na água.

Elena ouviu gritos, mas não pareciam estar relacionados com ela. O rio cresceu em volta dela e tudo era barulho, confusão e dor. Uma janela se espatifou ao ser golpeada por escombros, depois outra. A água escura jorrava em volta dela, junto com vidro que parecia gelo. Ela foi engolfada. Não conseguia enxergar; não conseguia sair.

E não conseguia respirar. Estava perdida neste tumulto infernal e não havia ar. *Ela precisava respirar.* Tinha de sair dali...

— Stefan, me ajude! — gritou ela.

Mas o grito não produziu som algum. Em vez disso, a água gelada correu para seus pulmões, invadindo-a. Ela se debateu contra ela, mas era forte demais. Sua luta tornou-se mais branda, mais descoordenada, depois parou.

E então tudo se aquietou.

* * *

Bonnie e Meredith estavam procurando com impaciência pelo perímetro da escola. Elas viram Stefan ir por ali, mais ou menos coagido por Tyler e seus novos amigos. Elas partiram atrás dele, mas depois começou aquela história com Elena. E em seguida Matt avisou que Elena tinha ido embora. Então elas partiram atrás de Stefan de novo, mas ninguém estava ali. Não havia quase nenhuma construção, a não ser o solitário barracão de aço.

— E agora está vindo uma tempestade! — disse Meredith. — Está ouvindo o vento? Acho que vai chover.

— Ou nevar! — Bonnie tremeu. — Mas onde é que eles *foram*?

— Não ligo; só quero ficar debaixo de um telhado. Lá vem ela! — Meredith arfou quando o primeiro manto de chuva gelada a atingiu, e ela e Bonnie correram para o abrigo mais próximo: o barracão.

E foi ali que encontraram Stefan. A porta estava escancarada, e Bonnie recuou ao ver.

— O bando de capangas de Tyler! — sibilou ela. — Cuidado!

Stefan estava num semicírculo de rapazes, entre ele e a porta. Caroline estava no canto.

— Deve estar com ele! Ele, de alguma maneira, conseguiu pegá-lo; eu sei que pegou! — dizia ela.

— Pegou o quê? — disse Meredith em voz alta. Todos se viraram para ela.

O rosto de Caroline se contorceu ao vê-las na porta e Tyler vociferou.

— Saiam — disse ele. — Vocês não querem se envolver nisso.

Meredith o ignorou.

— Stefan, posso falar com você?

— Daqui a pouco. Vai responder à pergunta dela? Pegou o quê? — Stefan estava concentrado em Tyler, totalmente focalizado.

— Claro, vou responder à pergunta dela. Logo depois de responder às suas. — A mão carnuda de Tyler bateu no punho e ele avançou. — Você vai virar ração de cachorro, Salvatore.

Vários dos durões deram uma risadinha.

Bonnie abriu a boca para falar, "Vamos *dar o fora* daqui". Mas o que realmente disse foi:

— A ponte.

Foi estranho o bastante para todos olharem para ela.

— O quê? — disse Stefan.

— A ponte — disse Bonnie de novo, sem pretender. Seus olhos estavam esbugalhados, alarmados. Ela podia ouvir a voz vindo de sua garganta, mas não tinha controle sobre ela. E depois ela sentiu os olhos se arregalarem mais, a boca se abrir e ela recuperou a própria voz. — A ponte, ah, meu Deus, a ponte! É lá que Elena está! Stefan, temos que salvá-la... Ah, rápido!

— Bonnie, tem certeza?

— Tenho, ai, meu Deus... Ela foi para lá. Ela está se afogando! *Rápido!* — Ondas de uma escuridão densa tomavam Bonnie. Mas ela não podia desmaiar agora; tinham de alcançar Elena.

Stefan e Meredith hesitaram um minuto, depois Stefan passou pelos capangas, empurrando-os de lado como se fossem

lenços de papel. Eles dispararam pelo campo até o estacionamento, arrastando Bonnie. Tyler partiu atrás deles, mas parou
quando o vento o arrebatou com toda força.

— Por que ela saiu nessa tempestade? — gritou Stefan enquanto eles corriam para o carro de Meredith.

— Ela estava aborrecida; Matt disse que ela pegou o carro
dele — Meredith respondeu arfando no relativo silêncio do
interior do carro. Ela arrancou rápido e entrou no vento, acelerando perigosamente. — Disse que ia para o pensionato.

— Não, ela está na ponte! Meredith, mais rápido! Ah, meu
Deus, vamos chegar tarde demais! — Lágrimas corriam pela
face de Bonnie.

Meredith voava. O carro balançava, esbofeteado pelo vento
e pelo granizo. Por toda aquela viagem de pesadelo, Bonnie
chorava de soluçar, os dedos agarrados no assento da frente.

O alerta áspero de Stefan impediu que Meredith batesse
numa árvore. Eles saíram do carro e de imediato foram ver-
gastados e castigados pelo vento.

— É grande demais para ser retirada daí! Vamos ter que ir a
pé — gritou Stefan.

É claro que era grande demais para ser retirada, pensou
Bonnie, já subindo pelos galhos. Era um velho carvalho. Mas
depois, que estava do outro lado, a ventania gelada afastou todos os seus pensamentos a chicotadas.

Minutos depois ela estava entorpecida e a estrada parecia
continuar por horas. Eles tentaram correr, mas o vento os empurrava para trás. Eles mal conseguiam enxergar; se não fosse
por Stefan, não teriam chegado à margem do rio. Bonnie co-

meçou a vacilar como bêbada. Estava prestes a cair no chão quando ouviu Stefan gritando à frente.

O braço de Meredith estava em volta de sua cintura e eles partiram novamente numa correria vacilante. Mas à medida que se aproximavam da ponte, o que viram os fez parar de repente.

— Ah, meu Deus... Elena! — gritou Bonnie. A ponte Wickery era uma massa de destroços. A grade de um lado tinha desaparecido e as pranchas cederam como se um punho gigantesco as tivesse esmagado. Embaixo, a água escura se agitava sobre uma pilha nauseante de escombros. Parte dos escombros, inteiramente submerso a não ser pelos faróis, era o carro de Matt.

Meredith gritava também, mas para Stefan.

— Não! Não pode descer lá!

Ele nem olhou para trás. Mergulhou da margem e a água se fechou sobre sua cabeça.

Mais tarde, a lembrança de Bonnie da hora seguinte seria misericordiosamente sombria. Ela se lembrava de esperar por Stefan enquanto a tempestade atormentava interminavelmente. Lembrava-se de que ela quase não se importava mais quando uma figura recurvada saiu da água. Lembrava-se de não sentir decepção, só uma tristeza imensa e escancarada, ao ver a coisa flácida que Stefan depositava na estrada.

E ela se lembrava do rosto de Stefan.

Lembrava-se de como ele estava enquanto eles tentavam fazer algo por Elena. Só que não era realmente Elena deitada ali, era uma boneca de cera com as feições de Elena. Não era nada que um dia fosse vivo e certamente não estava vivo agora.

Bonnie pensou que parecia tolice continuar empurrando e espicaçando daquele jeito, tentando tirar a água de seus pulmões e assim por diante. Bonecas de cera não respiram.

Ela se lembrava da expressão de Stefan quando ele finalmente desistiu. Quando Meredith lutou e gritou com ele, dizendo algo sobre mais de uma hora sem ar e danos cerebrais. As palavras entraram na mente de Bonnie, mas seu significado, não. Enquanto Meredith e Stefan gritavam um com o outro, ela só pensava que os dois estavam aos berros.

Stefan parou de gritar depois disso. Ficou apenas sentado ali, segurando a boneca de Elena. Meredith gritou mais um pouco, mas ele não a ouvia. Só ficou sentado. E Bonnie nunca se esqueceria da expressão dele.

Depois algo alertou Bonnie, trazendo-a de volta à vida, despertando-a de seu terror. Ela se agarrou a Meredith e encarou a origem daquilo. Algo ruim... Algo terrível estava vindo. Estava quase ali.

Stefan também pareceu sentir. Estava alerta, rígido, como um lobo farejando um rastro.

— O que é? — gritou Meredith. — Qual é o problema de vocês?

— Vocês têm que ir embora! — Stefan se levantou, ainda segurando a forma flácida nos braços. — Saiam daqui!

— Como assim? Não podemos deixar você...

— Sim, podem! Saiam daqui! Bonnie, tire-a daqui!

Ninguém jamais havia dito a Bonnie para cuidar de alguém. As pessoas sempre estavam cuidando *dela*. Mas agora ela pegou o braço de Meredith e começou a puxar. Stefan tinha razão.

Não havia nada que elas pudessem fazer por Elena e, se ficassem ali, o que quer que a tenha apanhado as pegaria também.

— Stefan! — gritou Meredith enquanto era arrastada sem explicações.

— Vou colocá-la debaixo das árvores. Dos salgueiros, não dos carvalhos — gritou ele para as duas.

Por que ele dizia isso agora?, perguntou-se Bonnie em uma parte profunda de sua mente que não estava tomada pelo medo e pela tempestade.

A resposta era simples e sua mente de imediato a ofereceu. Porque ele não ia ficar ali para contar a elas mais tarde.

16

empos atrás, nas ruas escuras secundárias de Florença, faminto, assustado e exausto, Stefan fez um juramento a si mesmo. Vários juramentos, na verdade, sobre usar os Poderes que sentia dentro de si e sobre como tratar as criaturas fracas, canhestras mas ainda humanas, que o cercavam.

Agora ele ia ter de quebrar todos.

Ele beijou a testa fria de Elena e a deitou sob um salgueiro. Voltaria ali, se pudesse, para se unir a ela, depois.

Ao pensar nisso, o surto de Poder passou por Bonnie e Meredith e o seguiu, mas tinha recuado de novo e agora se afastava, esperando.

Ele não ia esperar por muito tempo.

Desembaraçado do fardo do corpo de Elena, Stefan partiu num galope predatório pela estrada vazia. O granizo e o vento gelado não o incomodavam muito. Seus sentidos de caçador o penetravam.

Ele os voltou para a tarefa de localizar a presa que queria. Sem pensar em Elena. Mais tarde, quando isto estivesse terminado. Tyler e os amigos ainda estavam no barracão. Ótimo. Jamais saberiam o que era quando as janelas explodiram em cacos de vidro voadores e a tempestade soprou para dentro.

Stefan pretendia matar quando pegou Tyler pelo pescoço e cravou as presas nele. Essa era uma das regras, não matar, e ele queria quebrá-la.

Mas outro dos durões veio a Stefan antes que ele tivesse drenado todo o sangue de Tyler. O sujeito não tentava proteger o líder caído, só escapar. Foi falta de sorte dele e Stefan atravessar sua rota de fuga. Stefan o derrubou no chão e perfurou a nova veia com ansiedade.

O gosto acobreado e quente o reanimou, aquecendo-o, fluiu por ele como fogo. Fomentando o desejo de mais.

Poder. Vida. Eles a tinham; Stefan precisava dela. Com o ímpeto glorioso de força que veio com o que ele já havia bebido, ele os atordoou facilmente, depois passou de um para outro, bebendo profundamente e atirando-os de lado. Era como abrir latas de cerveja.

Ele estava no último quando viu Caroline encolhida num canto.

A boca de Stefan gotejava enquanto ele erguia a cabeça para olhá-la. Aqueles olhos verdes, em geral tão estreitos, apareciam brancos em volta como os de um cavalo apavorado. Seus lábios eram borrões pálidos tagarelando súplicas mudas.

Ele a colocou de pé, puxando-a pela faixa verde da cintura. Ela gemia, os olhos rolando para cima nas órbitas. Ele entrelaçou a mão no cabelo ruivo para posicionar o pescoço exposto onde queria. A cabeça dele recuou para atacar — e Caroline gritou e ficou flácida.

Ele a largou. Já tivera o suficiente. Ia explodir de sangue, como um carrapato que se alimentou demais. Nunca se sentiu tão forte, tão carregado do poder elementar.

Agora era a vez de Damon.

Ele saiu do barracão da mesma maneira que entrou. Mas não na forma humana. Um falcão voou pela janela e girou para o céu.

A forma nova era maravilhosa. Forte... e cruel. E sua visão era aguçada. Ele chegou onde queria, deslizando sobre os carvalhos do bosque. Procurava por uma determinada clareira.

Encontrou-a. O vento o vergastou, mas ele desceu em espiral, com um grito agudo de desafio. Damon, na forma humana abaixo, lançou as mãos para cima a fim de proteger o rosto enquanto o falcão mergulhava em sua direção.

Stefan rasgou tiras de sangue de seus braços e ouviu o grito de dor e raiva de Damon.

Não sou mais seu irmão mais novo e fraco. Ele mandou o pensamento para Damon numa rajada atordoante de Poder. *E desta vez vim buscar o seu sangue.*

Ele sentiu o ódio que Damon repercutiu, mas a voz em sua mente era cínica. *Então é assim que me agradece por salvar você e sua noiva?*

As asas de Stefan se dobraram e ele mergulhou de novo, todo seu mundo estreitado a um objetivo. Matar. Ele partiu para os olhos de Damon, e o galho que Damon pegou assoviou por seu novo corpo. Suas garras rasgaram o rosto de Damon e o sangue escorreu. Ótimo.

Não devia ter me deixado vivo, disse ele a Damon. *Devia ter matado a nós dois de uma vez.*

Ficarei feliz em corrigir esse erro! Antes Damon estivera despreparado, mas agora Stefan podia sentir seu Poder tomando fôlego, armando-se, preparando-se. *Mas primeiro poderia me contar quem eu devo ter matado desta vez.*

O cérebro do falcão não pôde lidar com o turbilhão de emoções suscitado pela pergunta debochada. Gritando sem palavras, ele mergulhou em Damon de novo, mas desta vez o golpe do galho pesado foi certeiro. Ferido, com uma asa pendendo, o falcão caiu atrás das costas de Damon.

Stefan mudou para a forma humana, mal sentindo a dor do braço quebrado. Antes que Damon pudesse se virar, ele o pegou, os dedos de sua mão boa cravando no pescoço do irmão e girando seu corpo.

Quando falou, ele foi quase gentil.

— Elena — disse ele, sussurrando, e partiu para o pescoço de Damon.

Estava escuro, muito frio, e alguém estava ferido. Alguém precisava de ajuda.

Mas ela estava terrivelmente cansada.

As pálpebras de Elena palpitaram e se abriram e isso cuidou da escuridão. Quanto ao frio... Ela estava inteiramente fria, congelando, gelada até a medula. E não era de se admirar; havia gelo em volta dela.

Em algum lugar, no fundo, ela sabia que era mais do que isso.

O que aconteceu? Ela estava em casa, dormindo — não, hoje era o Dia dos Fundadores. Ela estava no refeitório, no palco.

Alguém estava com uma expressão engraçada.

Era demais, não podia lidar com isso; não conseguia pensar. Faces sem corpo flutuavam diante de seus olhos, fragmentos de frases soavam em seus ouvidos. Ela estava muito confusa.

E tão cansada.

Então é melhor voltar a dormir. O gelo não era assim tão ruim. Ela começou a se deitar, depois os gritos voltaram novamente.

Ela os ouviu, não com os ouvidos, mas com a mente. Gritos de raiva e de dor. Alguém estava muito infeliz.

Ela ficou sentada, imóvel, tentando entender tudo.

Houve um tremor de movimento na beira de sua visão. Um esquilo. Ela podia sentir o cheiro dele, o que era estranho, porque ela nunca sentira o cheiro de um esquilo na vida. Ele a olhou com os olhos pretos e brilhantes e subiu no salgueiro. Elena só percebeu que tentou agarrá-lo quando sua mão ficou vazia, com as unhas cravando-se no tronco.

Ora essa, isso era ridículo. Para que *diabos* ela queria um esquilo? Ela ficou confusa por um minuto, depois se deitou, exaurida.

Os gritos ainda continuavam.

Ela tentou tapar os ouvidos, mas isso não os bloqueou. Alguém estava ferido, infeliz e lutava. Era isso. Havia uma luta.

Muito bem. Ela entendeu. Agora podia dormir.

Mas não conseguia. Os gritos chamavam por ela, atraíam-na para eles. Ela sentiu a necessidade irresistível de segui-los até sua origem.

E *depois* ela ia poder dormir. Depois que visse... Ele. Ele que a entendia e que a amava. Ele, que queria ficar com ela para sempre.

O rosto dele apareceu nas névoas de sua mente. Ela o olhou com amor. Muito bem, então. Por *ele* ela se levantaria e andaria por esse granizo ridículo até encontrar a clareira certa. Até se unir a ele. Depois eles ficariam juntos.

Só de pensar nele, ela pareceu se aquecer. Havia um fogo dentro dele que poucas pessoas podiam ver. Mas ela via. Era como o fogo que havia dentro dela.

No momento, ele parecia ter algum problema. Pelo menos, havia muitos gritos. Agora ela estava perto o bastante para ouvi-los com os ouvidos e com a mente.

Ali, depois daquele carvalho antigo. Era dali que vinha o barulho. *Ele* estava ali, com os olhos negros e insondáveis, e seu sorriso secreto. E ele precisava da ajuda dela. Ela o ajudaria.

Sacudindo cristais de gelo do cabelo, Elena entrou na clareira do bosque.

Este livro foi composto na tipologia Minion-Pro,
em corpo 11/17, impresso em papel off-white 80g/m²,
no Sistema Cameron da Divisão Gráfica
da Distribuidora Record.